現実を解きほぐすための哲学

小手川正二郎

TRANSVIEW
トランスビュー

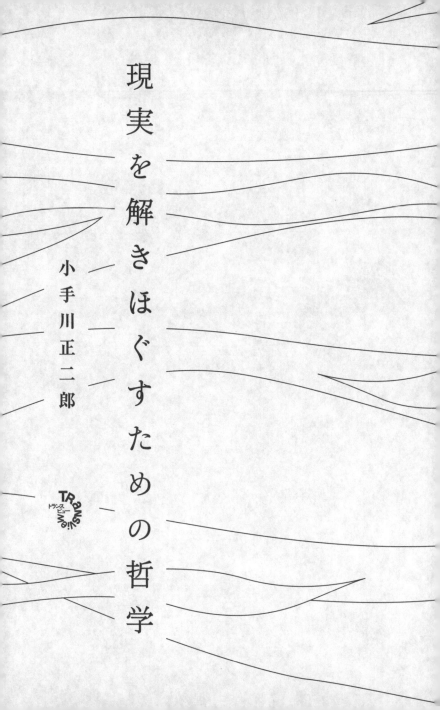

はじめに

「こんなこと考えて何になるんですか」「考えたって、結局現実は変わらないんだし……」

本書で取り上げる諸問題——性差、人種、親子、難民、動物の命——について、学生たちに自分で考えてみることを促すと、こうした反応が返ってくることがある。

その裏には、様々な思いがある。正解は決まっているのだから、自分なんかがない知恵を絞るより、専門家の「解答」を教えてほしい。思い悩んでも社会はよくならないから、社会に直接働きかける具体的な政策や取り組みをした方がよいのではないか。どうせ社会はよくならないのだから、真剣に考えても時間の無駄なのではないか。

このような立場からは、現実に起きている様々な問題を素人がどれだけ考えても意味がないことになる。本当にそうなのだろうか。

専門家が見つけた解決策を実行していけば、社会は本当によくなるのだろうか。政策や取り組みが変わるなら、人々の言動も自然に変わっていくのだろうか。社会が変わることは、なかなかないが、人が物事を真剣に考えるなら、少なくともその人は何かしら変化し、その変化が周りに影響を与えることもあるのではないだろうか。

私は、一人ひとりが考えることで、考える人自身が変わり、社会も変わると信じている。もっと言うと、考えることによって一人ひとりが変わらない限り、社会は本当の意味で変わらないと思っている。性差別を是正する法律や取り組みはずっと以前から存在しているのに、差別的な見方がなお、一部の差別主義者だけでなく、ある意味では私たち自身のなかに残り続けているのは、私たちが本当の意味で変わることができていないからではなかろうか。

哲学は、自分の頭で考えることを促し、思考や対話を通じて一人ひとりが変わることを可能にする。哲学とは、偉大な思想家の言葉をありがたがることでも、耳慣れない用語を使って浮世離れした話をすることでもない。それは、自分と他人が生きている現実に向き合って、とことん考えた末に、自分自身が変わることである。この点で、哲学ほど「現実的」な学問はないと私は言いたい。

自分の頭で考えることとは、実はそう簡単なことではない。私たちは大抵の場合、テレビやインターネットや本を通じて様々な事件や問題に触れ、それらについての意見や考えを学ぶ。そうして、そのなかで最も確からしい意見や、自分の価値観や信条に合う考えを「自分の考え」とみなすことが多い。

だが自分の価値観や信条もまた、その多くは親や教師など身の回りの人々の影響や、自分が属する社会や時代の制約のもとで形成されたものである。だとすると、自分の考えや価値観のなかで、「自分の頭で考えた末にもつに至った」と胸を張って言えるものは、ほとんど残らないかもしれない。「自分で考えた」と言うとき、私たちは自分で考えたつもりになっているだけで、実際には周囲の人々の価値観や一般に流布している考えを根拠もわからぬまま受け入れてしまっていることが多いのではないか。

確かに、テレビやインターネットは、迅速かつ容易に多くの情報を提供してくれる。けれども、そうした情報を鵜呑みにして「自分の考え」とし、それらが誤った情報や偏った見方に基づいていることが判明すると、私たちは「ネットやマスコミに騙《だま》された」などと言って、そうした考えをいともたやすく捨て去ってしまいがちだ。その場合、自分の考えに基づいた行動が他人を傷つけたり、偏見を助長させたりしてもその責任をとることがない。

また、自分で考えようとしないと、自分の本音に向き合ったり、自分の主張の前提に目を向けたりしにくくなる。そうすると、自分とは反対の主張をする人たちが、自分と似た本音やモヤモヤを抱えていたり、自分と共通の前提や目標をもっていたりすることに気づかずに、相手を無知で非理性的だと断じてしまいやすくなる。しばしば政治討論やツイッター上での言い争いに見られるように、議論が相手を打ち負かすためにのみなされ、不毛な誹謗中傷に終始しやすいのは、こうしたことも一つの要因だと思われる。

本書が取り上げる、性差、人種、親子、難民、動物の命をめぐっては、議論の対立が社会を分断したり、対立する相手の一方的な糾弾へと人々を駆り立てたりしやすい。こうした分断や糾弾に陥ることなく、異なる立場に立つ人々と生産的な議論をするためにも、自分で考えていくことが必要ではなかろうか。

もちろん、何から何まで一から自分独りで考えることはできない。実際、哲学は伝統的に、論理的な思考方法や体系的な学説を提供してきた。それらが、問題となる事柄を理路整然と論じたり、統一的な観点から捉えたりするために役立つということに疑いの余地はない。

けれども、論理的な思考法や著名な哲学者の学説を知ることは、必ずしも「自分自身で考える」ことを促すわけでないし、場合によってはそれを妨げることすらある。例えば、ある学説をあらゆる問題の正答を導くマニュアルのようなものとして使用するなら、私たちはただその学説をなぞるだけで、自分の頭で考えることはないだろう。

また、様々な問題を生み出す現実は複雑に絡み合っているので、どれだけ首尾一貫した学説であっても、それだけで問題を説明しようとすると、私たちが生きている現実を切り縮めてしまい、自分の経験や生活とは乖離《かいり》した結論を導きかねない。そうした結論を納得せぬまま受け入れてしまうなら、それは自分で考えることで自分が「変わる」というよりは、自分の経験や思考を捨てて、それらを権威ある学説に「取り替える」ことになってしまうだろう。

私たちが本当に自分自身を通じて考え、変わるためには、自分の経験に立ち戻って、自分が生きている現実に即して考えていかなければならない。私が目指している哲学の真のあり方とは、まさにこうした思考を可能にするものだ。

序章で詳しく述べるが、「自分で考える」ことはいとも簡単にできることではない一方で、学力や専門知識を必要とするといった意味で「難しい」ことでもない。

当初は、「自分なんかが考えても意味がない」と言っていた学生たちでも、実際には一人ひとり豊かな経験をもち、それを言葉にしたり分析したりできるようになれば、著名な思想家に勝るとも劣らない鋭い洞察や深い思考をそこから引き出してくる。そして、自分の本音に向き合って、自分とは異なる立場の意見に耳を傾け、徐々に変化していく――こうした学生たちの姿を毎年大学で目の当たりにしてきたことが、本書を書くきっかけとなった。

あらかじめ断っておくと、本書では、誰もがうなずかざるをえない結論が導き出されたり、それぞれの問題についての斬新な解決策が提示されたりすることはない。各章で私なりの結論は述べているが、それだけを読むなら、凡庸で見栄えのしないものに映るかもしれない。

本書の目的は、こうした結論へと読者を導いたり、説得したりすることにあるわけではなく、読者一人ひとりを自分で考えることへと誘《いざな》うことにある。それゆえ、読者には、私の考察や結論に共感してもらったり、スッキリした気持ちで読み終えたりするよりも、本書を読み進めるなかで、様々なモヤモヤや疑問を感じてほしい。そのなかで、自分自身の本音に気づいたり、それぞれの問いに向き合うきっかけをつかんでもらえたなら、あなたはすでに自分自身で考え始めているはずだからだ。

現実を解きほぐすための哲学　目次

第1章 性差
なぜ、哲学にフェミニズムが必要なのか？

第2章 人種
黒人の肌は本当に「黒い」のか？

第4章 難民 受け入れるべき責任を負うのは誰か？

第5章 動物の命

肉を食べることと動物に配慮することは両立しうるのか？

序章

「自分で考える」とはどういうことか？

経験から出発する——分析の手がかり

本書は、性差、人種、親子、難民、動物の命といったテーマについて、哲学的に考える方途を示し、読者を自分自身で考えることへと誘《いざな》おうとする。各章で具体的な議論に進む前に、本書が何を手がかりに、どのような手法でそれぞれの主題に迫っていこうとするのか、そうしたアプローチに沿って自分で考えてもらうことで、何を目指しているのかを簡単に説明しておきたい。

様々な学問分野ですでに膨大な研究の積み重ねがあるそれぞれの主題について、そもそもどうしたら「自分で考える」ことができるのだろうか。

ある問題について考えようとするとき、すぐにネットで調べたり、入門書を探したりしたくなるかもしれない。もちろん、現状について調べるのは必要だ。しかし、ネットの情報や入門書をまとめても、「自分の考え」にはならないし、そのようにして論じられた問題は、自分にとって他人事のままだ。

自分で考えようとするときに、最も手近な材料となるのは、自分の経験である。生まれてから自分が積み重ねてきた無数の経験が、私たちの考えや価値観を形成したり、支えたりしている。そうした経験には、様々な事柄を考えるための豊かな可能性が眠っている。[*1]

もちろん、自分の経験だけに依拠して、何らかの主張をしようとすると、個人の経験を一般的とみなす「早まった一般化」をおかす危険がある。例えば、「自分がこれまで出会った女性は、みんな甘いもの好きだった。だから女性はみんな甘党だ」といった主張は、一部の女性にしか当てはまらないことを、すべての女性に一般化し、甘いものが苦手な女性や甘党の男性も数多くいることを無視している。

経験から出発するのは、自分の経験に閉じこもって独りよがりな主張をするためではない。自分が経験したからといって、その経験を必ずしも自分が「理解」しているとは限らない。経験から出発するのは、自分の経験を揺るぎのない前提とみなすからではなく、むしろ、それを自分がまだ充分に理解しきれていないからだ。

例えば、私は大学の入試業務を一緒に担当した初対面の女性を、自分の補佐役だと思い込んでいたことがある。別の人が彼女に「先生」と話しかけたとき、彼女が教員で自分と同じ立場であることがわかった。このとき、単なる早とちりにも見える私の経験は、女性を男性

＊1　本書は、一人称的観点から経験の分析を行う現象学の研究手法を採る。現象学の分析方法については、植村玄輝ほか編著『ワードマップ　現代現象学』、および田口茂『現象学という思考』を参照。なかでも本書は、現象学的な方法を用いた倫理的思考の可能性を探る「現象学的倫理学」の試みとして位置づけられる。現象学的倫理学については、吉川孝「現象学的倫理学に何ができるか」（『倫理学論究』vol. 4, no. 2所収）参照。

の補佐役だとみなす性差別的な経験として理解し直された。そして、性差別について偉そうに講義をしている私自身が無自覚に性差別的な見方をしているという事実に直面させられた。このような経験の理解を通じて、性差別は自分とは無縁な「社会問題」ではなく、自分自身が現に関与し、自分のあり方が問われている問題だと気づくことができる。自分の経験は、問題と自分をつなぐ通路をなすのだ。

自分の経験を異なる角度から理解し直したり、自分には経験しえない事柄について知ったりするためには、他人の経験に耳を傾ける必要がある。例えば、先に述べた見間違えを「勘違い」にすぎないと言う男性も、女性たちが日常的にこうした「見間違え」に遭遇していることを知れば[*2]、それが単なる勘違いではないことに気づくはずだ。

また、男性が女性差別を経験したり、白人が黒人差別を経験したりすることはできないが、女性や黒人の経験を聴くことによって、そうした経験を理解しようとすることは可能だ。他人の経験を持ち出すと、それは経験した人にしかわからないと言う人もいる。確かに、一人ひとりの経験は当人しか「経験」することはできないが、だからといってその経験が当人以外の誰にも「理解」できないということにはならない。

例えば、育児の辛さや喜びは実際に子どもを育てた親にしか「経験」されえないにしても、そうした親の経験を聴くことで、子どもをもたない人もそれらを「理解」する手がかりを得ることができる。

「実際に経験してみないとわからない」とよく言われるが、この表現は誤解を招きやすい。まず、ある人と同じ種類の経験をしたからといって、その人の経験を理解できるとは限らない。例えば、出産をした女性が、他の女性の出産経験をすぐさま理解できるわけではない。出産の辛さは人によって異なるし、夫や両親や医療機関から充分なサポートを得て出産した女性が、そうしたサポートなく出産した女性の辛さを過小評価してしまうことはありうる。

出産経験のある人は、出産経験のない人よりも、他人の出産経験について理解しやすい立場にあるかもしれないが、自分の経験だけに基づいて他人の経験を理解しようとすると、経験はかえって足枷《かせ》になりかねない。

また、ある人と同じ種類の経験ができないからといって、その人の経験を全く理解できないとは限らない。男性は女性と同種の経験（月経や出産）をすることができないために、女性の経験を理解できないのではない——もしそうだとしたら、男性は永久に女性の経験を理解できないことになってしまう。むしろ男性は、女性の経験の連なりや背景、女性たちが置かれている状況の複雑さに目を向けられないために、女性の経験を理解する手がかりを逸することが多い。

＊2　女性は、例えば取締役である自分が男性取締役のアシスタントとして対応されるといった「見間違え」に度々遭遇している（小川たまか『「ほとんどない」ことにされている側から見た社会の話を。』、151頁）。

例えば、セクハラの深刻さについて理解できない男性は、問題視された男性の言動一つだけを見て、悪意があったりそこまで有害だったりするものではないと断じることがある。そこで見落とされているのは、社会のなかで、女性がいつでもどこでも性的な対象とみなされかねず、男性の上司・同僚・取引先との関係を維持するためにセクハラまがいの言動を許容するよう強いられやすいということだ。こうした社会のなかで育ち、それに馴染んだ男性たちは、自分たちの見方が「自然」で、被害を受けた女性の経験が「不自然」で「極端」なものだと思い込みやすい。

このように、他人の経験を通して自分の経験を見つめ直すことで、自分の経験の歪みや一面性が見えてくる。それゆえ、他人の経験に目を向けることは、たんに自分には経験できない事柄を知るためだけでなく、自分の経験や自己自身を真に理解するために必要なのだ。本書が、学術書だけでなく、インタビューやドキュメンタリー、エッセイや小説、映画などにも手を伸ばして[*3]、女性、「ハーフ」の人々、様々な形態の親子、難民等の経験を取り上げ、議論の手がかりとしたのはそのためである。

現実を解きほぐす――分析の手法

では、自分や他人の経験を手がかりにして、どのように考えていけばよいのだろうか。経験を手がかりにすると言っても、個人の経験をただ書き連ねることに終始するわけではない。むしろ自分や他人がある事柄――本書では、性差や人種、差別や虐待、他人に対する責任や動物への配慮――をどのように経験しているかを、経験している当人の観点から記述し分析することで、特定の事柄を経験する仕方の共通性や客観性に向かうことが重要だ。

経験から出発して客観性に向かうと聞くと、奇妙に感じる人もいるかもしれない。しばしば経験を持ち出すことが敬遠される理由は、それが個人のあり方に左右される主観的なものでしかなく、客観的な証拠やデータの対極に位置すると考えられているからだ。

しかし、こうした考え方は、経験をあまりにも狭く捉えすぎ、日常生活において問題とな

＊3　映画やドキュメンタリーを観ることが、いかに道徳的問題を思考することにつながるかについては、吉川孝「映画とともに思考するとき」、池田喬「なぜ映画で倫理学なのか」(吉川孝ほか編著『映画で考える生命環境倫理学』所収)を参照。

る客観性が、科学的な客観性ばかりではないという事実を見過ごしている。[*4] 実際、「なぜ彼に怒っているのか」と尋ねられて、「扁桃体《へんとうたい》が脅威を察知したから」といった脳のメカニズムを用いて答える人はまずいない。むしろ、私たちは「彼が差別的な発言をしてきたから」といった回答をする。

こうした回答においても客観性が問題となるが、そこで問題となる客観性は、データ等を用いた科学的説明によってではなく、この回答が事実に基づいているのか（本当にその人が当該の発言をしたのか）、怒るための充分な理由となるのか（その発言が差別的な発言とみなされうるか）を検討することで示される。本書が経験を手がかりに目指す客観性も、科学的な客観性ではなく、私たちにとってより身近である日常的な客観性の方だ。

経験を分析する際に重要なのは、ある人の経験をそれ単独で考えるのではなく、それを（1）歴史的・文化的・社会的背景とのつながりのなかで捉え、（2）その人がもつ他の諸経験との連関のなかで理解することだ。

例えば、私たちが人を「黒人」や「白人」として見るとき、それは相手の肌色に対する自然な反応ではなく、人種に関する歴史的・文化的な背景のもとで習慣化された経験である（第2章参照）。こうした背景は、しばしば私たちの視野のなかに入っていなかったり、隠されていたりするため、それを見えるようにして、そこから経験を理解し直すことが必要だ。

他方、一つひとつの経験は、それ以外の経験とつねに関連しているため、それらが織りなすネットワークのなかで理解する必要がある。例えば、ある人を特定の人種として見るという経験には、相手を外国人とみなす経験、相手を美しいとか怖いと感じたりする経験、自分が特定の人種として見られる経験などが相互に関連し合っている。人種という枠組みのもとで人を見るという経験を理解し直すことは、こうした経験のネットワーク全体を見つめ直すことによって初めて可能となる。

本書は、性差、人種、親子、難民、動物をめぐる倫理的な問いを考える際に、こうした形での経験の再考が必要だと考える。それはなぜだろうか。

倫理学と呼ばれる学問領域では、伝統的に、善悪の基準を示す道徳原理から出発して、すべての人に「〜すべき／〜してはならない」と命じる道徳規範を導き出すことが、現実に働きかける最良の方法だとみなされてきた。

例えば、「人に危害を加えてはならない」という危害原理から出発して、人種差別が差別される人に危害を加えることを示せれば、人種差別をしてはならないということが導き出される。さらに、人種差別のなかにどういう行為が含まれるかを示せれば、該当する行為を禁じたり罰したりすることが可能となる。具体的には、人種を理由に雇用しなかったり、マンションの賃貸契約を拒んだりすることが、相手に著しい不利益を与える差別だと認められる

＊4　池田喬「研究とは何か、当事者とは誰か」（石原孝二編『当事者研究の研究』所収）参照。

なら、それらの行為を禁じたり罰したりすることができる。

こうした議論のなかでは、個々人の経験を考える必要は出てこない。そこでは、「差別をしてはならない」といったどんな人でも従わねばならない規範を、誰もが納得する形で示すことが何よりも求められるからだ。道徳規範を示すことが、とりわけ法や制度を根拠づける場面で重要であることには疑問の余地はない。しかし、私たち一人ひとりが倫理的な問いに向き合う際、こうした議論だけで充分であるとも、それが現実に働きかける最良の方法だとも思えない。[*5]

差別や虐待、難民や動物をめぐる人々の見解の違いは、差別や虐待の是非、難民受け入れや肉食の是非をめぐる見解の相違なのだろうか。性差別や人種差別をする人、子どもを虐待する親は、そうしたことをすべきでないとわかっていないから、してしまうのだろうか。難民の受け入れに消極的な人は、難民の人権が守られるべきだと考えていないのだろうか。肉を食べる人は、動物を殺すことが悪いと思っていないのだろうか。そうではないと思われる。

おそらく、ほとんどすべての人が、人を差別したり子どもを虐待したりすること、難民を見殺しにすること、動物を殺すことをよくないことだと考えている。人々の見解の相違が生じてくるのは、「差別」や「虐待」をいかなることとみなすか、難民をどのような人とみなすか、肉を食べることをいかなることとみなすかをめぐってではなかろうか。

勘違いしないでほしいが、これは定義の問題ではない。つまり、差別や虐待、難民や食肉といった言葉の意味を明確に定義すれば、こうした見解の相違が解消されると考えているわけではない。なぜなら、個人の見解は、単なる言葉の寄せ集めではないからだ。

例えば、性差別に対する個人の見解は、性差をめぐる様々な経験の連なり、差別に関する様々な認識（何を差別とみなし、差別の何が悪いと思うか）、差別に対する様々な感情（怒りや軽蔑、嫌悪感や屈辱感、場合によっては差別することの快感）、自分と性差別の関係（自分が差別する側／差別される側のどちらにいるか、身近に性差別の被害者がいるか）などが複雑に絡み合って生じている。

それゆえ、私たちが「差別はよくない」ということを共有していたとしても、そもそも何を差別とみなすか、自分が生きる社会や現実をどの程度差別的とみなすか、差別はどの程度許されないと思うか、差別にいかなる感情を抱くか、自分にとって差別（されないこと）がどれほど重要なのか等々は、個々人で異なり、そうした違いが差別をめぐる見解の相違を形づくっている。

だからこそ、差別について自分で考えようとするなら、私たちは自分の経験に立ち戻って、差別に関連する様々な経験の連なりやそうした諸経験の歴史的・文化的・社会的背景を見つ

＊5　道徳規範を示すことを倫理学の主要課題とみなす立場への批判については、池田喬「品川哲彦氏からのコメントへの応答」（『倫理学論究』vol. 4, no. 2所収）参照。

め直す必要がある。そうして初めて、差別や差別をめぐる現実を自分がどのように観ているかが露《あら》わになる。そのうえで、他人の経験の連なりやその背景に可能な限り迫っていくなら、自分の経験がいかなる意味をもちうるか、そして自分の経験や現実の観方がいかなる点で偏っていたり、歪《ゆが》んでいたりするのかが見えてくるはずだ。

倫理的な問いに向き合う際に、こうした個々人の経験や人生の実質を手放すべきではない。というのも、哲学者の古田徹也が指摘するように、それは倫理的な問題が生じている世界についての見方と切り離せないからだ。

我々はそれぞれ、常にいま・ここから——つまり、自分だけが占める立ち位置から——現実と向き合っている。その経験は、文字通りの意味でかけがえのないもの、他人と置き換えのきかないものであり、そしてそのこと自体が、我々が自分たちの生きているこの世界に対してもっている理解の一部を構成しているのである。[*6]

現実に生じている問題には、様々な要素が複雑に絡み合っているため、すぐさま解決を得られるわけではない。そうした現実を前にして、私たちはしばしば単純明快な思考法や手っ取り早い対処法を指南する「トリセツ」を求めたがる。こうした手法は、その表面的な「わかりやすさ」とは裏腹に、複雑に絡まり合った現実の結び目を断ちきり、お決まりの型にはめて現実を切り取ることで、私たち一人ひとりが生きている現実や私たちを悩ませている「現実の難しさ」に向き合うことを困難にしてしまう。

例えば、第5章で詳しく見るように、動物は苦しみを感じうるという点に基づいて、肉食を批判することは、わかりやすいし、それなりに説得力がある。しかし、こうしたわかりやすさは、動物に対する私たちの日常的な態度の内側から動物への振舞いを見つめ直すことを困難にし、肉食に関して私たちが経験している「現実の難しさ」を、動物の能力を判定する科学的な知見の難解さといった別種の難しさに逸《そ》らしてしまう。[*7]

現実の難しさに向き合うためには、多数派の意見や一貫した理論にあわせて現実を切り取るのではなく、文脈や背景もそれぞれ異なる問題に即して私たち一人ひとりの観点から「現実を解きほぐす」こと——複雑に絡まり合った現実の結び目を緩めるポイントを見つけ、私たちが経験している現実の難しさを見えるようにすること——が必要だ。

現実と自分や他人をつなぐ経験にあえてとどまり、経験の連なりや背景を分析すること、そこから私たちの現実の観方や現実との係わりに孕《はら》まれた偏りや歪みを問い直していくこと

＊6　古田徹也『不道徳的倫理学講義』、322頁。
＊7　コーラ・ダイアモンド「現実のむずかしさと哲学のむずかしさ」（コーラ・ダイアモンドほか『〈動物のいのち〉と哲学』所収）参照。ダイアモンドの考えについては、佐藤岳詩「C・ダイアモンドの分析的倫理学批判」（『現代思想』2017年12月号所収）参照。

が、こうした現実の解きほぐしを可能にするはずだ。

問いに身を晒《さら》す——分析の目標

経験を手がかりとし、現実を解きほぐすことで本書が目指すのは、すでに述べてきたように、読者一人ひとりが自分で考えること、そしてそれによって変わることだ。だが、哲学的な議論によって、どのように変わることができるのだろうか。

哲学に限らず、そもそも議論というものが結論の正しさを示すためだけにあるのだとしたら、正解を導く議論を暗記したりコピペしたりすればよいことになる。そうした議論によって人が変わることは決してないだろう。議論する人自身は、実際には議論の外側に身を置き、議論の内容に関してその人自身が問いただされることはないからだ。

現実の問題を論じる際、あたかも自分が当の問題とは無縁で中立的な地点に立っているかのようにして語ろうとする人は少なくない。議論の客観性を事柄に対する中立性に見て取ろうとする人もいる。そのようにして人は、自分だけは安全地帯に立って、議論がどちらに転んでも自分には影響がないかのように錯覚してしまう。

ナチスによって強制収容所に送られたユダヤ人の生き残りであるルート・クリューガーは、こうした人々に対するいらだちを率直に述べている。

〔私が〕話し終えると、〔…〕聴衆から男性が意見を述べた。世界に不正はごまんとあるんですよ、それについて書かれた本をいちいち読もうと思ったら、たったいま首をくらなきゃなりませんよ、強制収容所の問題に書くことで取り組むという課題を、お説のとおり、生存者さえやりそこねるとするなら、いったいそれを読む読者はどうやってこの問題を解決したらいいんです?

〔…〕わたしの身になってもらうには及ばない。むしろわたしの身になど、なってくれないほうがありがたい。〔…〕でも、少なくともピリピリと感じてほしい。自分の砦にこもらないでほしい。そんなの知ったこっちゃない、関係あるとしても、あらかじめ定規とコンパスできっちり仕切った枠内においてのみだ、こちとら死体の山の写真はとっくに見させられたんだ、同罪と同情の宿題はすませたんだと、はなっから言わないでほしい。[*8]

彼女のいらだちは、「自分の砦にこもる」人々、「世界に不正はごまんとある」と問題を一

*8　ルート・クリューガー『生きつづける』、鈴木仁子訳、169-170頁。

般化して、自分はどこからでもない安全地帯から語ろうとする人々に向けられている。多くの人が、結論の見えない困難な問題を前にすると似たような態度をとる。自分が加害者と同じ立場だとみなされたり、軽はずみなことを言って被害者を傷つけてしまったりすることを恐れて。こうした恐れの根っこには、自分の本音に向き合うことに対する恐れがあるのではないか。

障碍者の自立生活運動を牽引した「青い芝の会」の脳性まひ者、横塚晃一（1935－78）は、妊娠時に子どもが障碍をもっていたらと不安に思い、五体満足を祈ったという女性が「この不安と祈り、これはいつわらざる親の心情ではないでしょうか」と書いたのに対して、次のように返答している。

あなたのおっしゃる通り、我が子の無事を祈り、五体満足であることを願わぬ親はないでしょう。しかし（言葉尻をつかむわけではありませんが）「いつわらざる親の心情ではないでしょうか」というように一般化することによって、あなた自身の責任（罪悪性）を回避していることに気がつかなければなりますまい。つまり「妊娠とわかったその日から五体満足をと祈り、何万分の一かもしれない確率をおそれ、もしそうなったら……」と考えた時点においては、それはあなた自身がそう思ったのであり、他の人がどう思うかということとはまた、別問題といわなければなりません。〔…〕

私はここであなたを責めるつもりは毛頭ありません。これは私自身を責めているといった方が適切かもしれません。自分より重い障害の人を見れば「私はあの人より軽くてよかった」と思い、また知能を侵されている人を見れば「自分は、体は悪いが幸いあたまは……」と思うのです。

なんとあさましいことでしょう。そのように人間とはエゴイスティックなもの、罪深いものだと思います。この自分自身のエゴを罪と認めることによって、次に「では自分自身として何をなすべきか」ということが出てくる筈です。*9

誰もが様々な本音を内に秘めている。それは、差別的であったり、偏見に満ちていたり、呆れるほど自己中心的だったりする。そのため、そうした本音を公言するのは憚《はばか》られたり、時には自分自身からも隠されていたりする。私たちがしばしば一般的に正しいとされる考えを自分の考えとみなしたり、客観性と中立性を掲げる理論によって武装したがったりするのは、こうした本音に向き合うのを避けるためかもしれない。

自分自身で考え、自分が変わろうとするなら、こうした砦にこもることをやめて、自分の本音に向き合う必要がある。自分の本音に居直るためではない。様々な問題において問われ

＊9　横塚晃一「T婦人との往復書簡」（『母よ！殺すな』所収）、34－37頁。

ているのは自分とは無縁な加害者や被害者などではなく、自分自身の本音そのものであることに気づくためである。そのようにして「問いに身を晒す」ことで初めて、自分の本音に含まれる差別や偏見、自分の現実の観方の一面性を問い直し、自分の本音を変えていくことができるはずだ。

確かに、私たちが長年慣れ親しんできた現実の観方は、一朝一夕で変わったり、自分の思い通りに変更できたりするものではない。この観方が自分の生活全体に浸透していればいるほど、それを変えようとするなら、私たちの生活そのものを変えていく必要がある。逆に言えば、日常的な言動の変化を伴わないような、観方の変化などありえない、ということだ。しかし、だからこそ、自分の観方が変わるなら、他人や現実との接し方も変わり、それが周囲に少なからぬ影響を与えることも充分にありうるのだ。[*10]

以上のような物言いは、ひょっとすると、一定の教養を備え偏見に囚われないように日々心がけている人や、自分の観方を振り返る時間的・経済的余裕がある人にだけ訴えかけているように聞こえるかもしれない。だが、それは私の本意ではない。

現実の観方の一面性ということで、私が言いたいのは、単に視野が狭かったり、無知だったり、想像力がないということではない——視野が広く、学識があり、様々な立場から物事を捉えられる人でも、「自分の砦」にこもって「問いに身を晒す」ことがないなら、一面的であり続けることは充分に考えられる。

また、過酷な生活環境のなかで、日々追いつめられて、自分の観方を振り返ったり、自分で考えたりする余裕がない人もいるはずだ。そうした人たちが特定の観方に縛られている場合、彼らを非難・糾弾するよりも、そうした観方を強いている状況から彼らが抜け出る手助けをする方が望ましいだろう。

本書が、現実の観方の歪みや一面性を問題化するとき、それはそうした観方をしている人を非難したり糾弾したりするためではないことを強調しておきたい。過酷な状況を抜け出した後で、本書がそうした人たちの「自分で考える」ための手助けになれば、これに勝る喜びはない。

各章は、基本的に独立しているので、読者の関心に沿って読み進めてもらえたらと思う。ただし、時間が許すなら、読者が関心をもっていない章にも進んでもらいたい。本書で取り上げる五つの主題は、そのどれもが、日本に生きる私たちにとって決して無関係ではいられないと思うからだ。

＊10　アメリカの哲学者カヴェルは、倫理的思考を通じて自分自身が変わることを重視する道徳的完成主義を現代の文脈で再評価し、それを民主主義に不可欠なものとして提示している。スタンリー・カヴェル『道徳的完成主義』、とりわけ第三講義を参照。

参照資料

池田喬「研究とは何か、当事者とは誰か——当事者研究と現象学」、石原孝二編『当事者研究の研究』、医学書院、2013年所収
池田喬「品川哲彦氏からのコメントへの応答——倫理学とは、規範を示すとは、現状の改革とは」、『倫理学論究』vol. 4, no. 2、2017年所収
池田喬「なぜ映画で倫理学なのか」、吉川孝・横地徳広・池田喬編著『映画で考える生命環境倫理学』、勁草書房、2019年所収
植村玄輝・八重樫徹・吉川孝編著『ワードマップ　現代現象学——経験から始める哲学入門』、新曜社、2017年
小川たまか『「ほとんどない」ことにされている側から見た社会の話を。』、タバブックス、2018年
カヴェル、スタンリー『道徳的完成主義——エマソン・クリプキ・ロールズ』、中川雄一訳、春秋社、2019年
クリューガー、ルート『生きつづける——ホロコーストの記憶を問う』、鈴木仁子訳、みすず書房、1997年
佐藤岳詩「C・ダイアモンドの分析的倫理学批判——分析対象としての倫理をめぐって」、『現代思想』（総特集「分析哲学」）2017年12月号所収
ダイアモンド、コーラ「現実のむずかしさと哲学のむずかしさ」、コーラ・ダイアモンドほか『〈動物のいのち〉と哲学』、中川雄一訳、春秋社、2010年所収
田口茂『現象学という思考——〈自明なもの〉の知へ』、筑摩書房、2014年
古田徹也『不道徳的倫理学講義——人生にとって運とは何か』、筑摩書房、2019年
横塚晃一「T婦人との往復書簡」（1971年）、『母よ！殺すな』、生活書院、2007年所収
吉川孝「現象学的倫理学に何ができるか——応用倫理学への挑戦」、『倫理学論究』vol. 4, no. 2、2017年所収
吉川孝「映画とともに思考するとき」、吉川孝・横地徳広・池田喬編著『映画で考える生命環境倫理学』、勁草書房、2019年所収

第1章

性差

なぜ、哲学に
フェミニズムが
必要なのか？

1 入試における女性差別

2018年8月、東京医科大学が女子受験生に対して一律減点をしていたことが発覚した。2018年度の入試では、二次試験の小論文（100点満点）で全員に0.8をかけて80点満点とし、現役・一浪・二浪の男子に20点を加点、三浪の男子に10点を加点していた。これにより、女子と四浪の男子は満点であっても80点とされる差別的な取り扱いが行われていた。こうした得点調整は、少なくとも2006年から行われていた。得点調整を行った理由について、臼井正彦前理事長は、女性は結婚・出産で離職したり、育児をし出すと長く勤務できなくなったりすることを挙げたという。その後、計10大学の医学部が募集要項には記載のない不適切な得点調整を行っていたことが明らかとなった。

2 子どもをもつことで失うもの

「でもさ、ジヨン、失うもののことばかり考えないで、得るものについて考えてごらんよ。親になることがどんなに意味のある、感動的なことかをさ。それに、ほんとに預け先がなくて、最悪、君が会社を辞めることになったとしても心配しないで。僕が責任を持つから。君にお金を稼いでこいなんて言わないから」

「それで、あなたが失うものは何なの？」

「え？」

「失うもののことばかり考えるなって言うけど、私は今の若さも、健康も、職場や同僚や友だちっていう社会的ネットワークも、今までの計画も、未来も、全部失うかもしれないんだよ。だから失うもののことばっかり考えちゃうんだよ。だけど、あなたは何を失うの？」

チョ・ナムジュ『82年生まれ、キム・ジヨン』[*1]

＊1　チョ・ナムジュ『82年生まれ、キム・ジヨン』、斎藤真理子訳、128－129頁。

男女平等についての「建前」と「本音」

「男女を平等に扱うこと」や「性差別をしないこと」は当たり前のことだと、誰もが思っているはずだ。にもかかわらず、性差別がなくならないのはなぜだろうか。

【1】のような事例について、しばしば「男女を平等に扱うのは理想だが、大学病院の過酷な実状からすると仕方のないことだ」といった声を耳にする。この弁明に同意しないにしても、少なからぬ人が男女平等はあくまで理想であって現実には難しいと思っていたり、女性差別を告発するフェミニストの声を口うるさく思っていたりする。

本章では、「自分で考える」ためにフェミニズムが必要不可欠であることを論じるが、それはこうした本音を抱えた人たちを糾弾するためではない。私自身もどこかで「建前」と「本音」を使い分け、フェミニズムに偏見をもって生きてきた。長い間、フェミニストと聞くと男性の言葉尻をとらえた非難をする女性たちというイメージをもっていた。そうしたイメージが誤ったものであることに気づき、自分の本音に向き合おうとし始めたのは、恥ずかしながらここ数年の話である。

大学の講義でフェミニズムの古典とされるシモーヌ・ド・ボーヴォワール（1908－86）の『第二の性』（1949年）を取り上げたときのことだ。そのなかに、余裕があるときには妻に理解を示し、男女平等を唱える男性でも、喧嘩になるやいなや「俺がいないと、お前は生活費を稼ぐこともできないじゃないか」と言い始めるというくだりがある。[*2] 研究とアルバイトで追いつめられた生活をしていたとき、妻に似たようなことを口走ったことがある私には、この言葉が胸に突き刺さった。

それまでは、自分が「男女平等に賛成する、女性に理解のある男性だ」と信じきっていた。しかし、このとき、自分の建前と本音の乖離に気づき、自分の奥底にある性差別的な見方に向き合わされた。

私たちはよく「頭では、わかっているんだが……」と言う。しかし多くの場合、それは「わかったつもりになっているだけで、本当はわかっていない」ということにすぎない。なぜなら、もし自分の頭で考えぬいてわかったことであるなら、自分の生き方や態度に現れてこざるをえないはずだからだ。

歴史学者の阿部謹也（1935－2006）は、恩師上原専禄（1899－1975）からの教えとして、「解るということは、それによって自分が変わるということ」と述べている。[*3]

男女平等についてわかったつもりになっていた私は、自分の本音に向き合って自分が「変わる」までわかろうとはしなかったために、本当の意味でわかってはいなかったのだ。

性差について考えるうえで哲学が必要となるのは、議論で相手を論破するためではないし、大上段から性差別を糾弾するためでもない。むしろ哲学は、私たち一人ひとりが自身の性差別的な見方に向き直り、「かわるまでわかる」ためにある。

しかし、どれだけ理性的かつ論理的に考えられる人であっても、男性たちの目に映る「現実」にのみ依拠してしまうなら、性差別と無縁ではいられない。【2】のやり取りに見られるように、女性に「理解」を示す男性も往々にして、自分の目に映る「現実」から何が抜け落ちてしまっているのかに気づかない。だからこそ、何よりもまず「現実を見る目」として フェミニズムが必要になる――このことを、本章全体を通して示したい。

＊2　シモーヌ・ド・ボーヴォワール『第二の性』第Ⅰ巻（事実と神話）、32頁、522頁。
＊3　阿部謹也『自分のなかに歴史をよむ』、21－22頁。

1 差別とは何か?

日本における男女格差の現状

まずは、日本における男女間の格差の現状を概観してみよう。

世界経済フォーラムが男女格差の度合いを経済・教育・保健・政治の四つの観点から測るジェンダーギャップ指数では、2019年度日本は153カ国中121位(前年度110位)だった。とりわけ経済(女性の管理職比率や労働参加率)と政治(女性閣僚や女性議員の割合)の面で依然として男女間の格差が激しい。男女の賃金格差は100対73であり、国会議員や管理職に占める女性の割合は1割程度にすぎない。こうした数値は、政府や民間企業がこぞって「男女共同参画」を推進しているにもかかわらず、改善の兆しが見られない。

日本では、結婚後、男女どちらかの姓を選ばなければならず、96%以上が男性側の姓を選択している。女性は結婚後に姓が変わることによる様々な不利益や不都合を訴えてきたが、最高裁は夫婦別姓を認めない民法の規定を合憲としている。[*4]

女性は男性よりも圧倒的に性犯罪の被害にあいやすく、13人に1人が「無理やり性交等をされた経験がある」と回答している。にもかかわらず、性犯罪被害者に対する根強い偏見やバッシングを恐れて、警察に行った人は2・8%にすぎず、そこから逮捕や起訴に至るケースはさらに少ない。また、電車の中の痴漢被害については10人に1人しか、警察への相談や通報を行っていない。[*5]

こうした数字を聞かされても、納得しない男性は言う。女性向けの支援やサービスが溢れる現代では、女性の方が生きやすいのではないか。むしろ、何かにつけて男性の方が「差別」されているのではないか。女性専用車両やレディースデイ割引を例に出す人もいる。だが、前者は女性の痴漢被害を防止するための公共交通機関による対処策だし、後者は営利企業によるマーケティング戦略の一つにすぎないので、言うまでもなく差別とは無関係である。[*6]

その一方で、例えば管理職や議員に女性を増やすために「女性枠」をつくるといったアファーマティブ・アクション（積極的格差是正措置）が、男性たちへの「逆差別」となると考

＊4　2015年の判決では女性裁判官3名を含む5名は違憲としたが、男性裁判官10名が合憲とした。

＊5　小川たまか『「ほとんどない」ことにされている側から見た社会の話を。』、131頁、142頁。

＊6　女性専用車両に反対する男性たちが、女性専用車両の導入によって迷惑を被っているのだとしたら、その加害者は、女性たちではなく、痴漢をしている男性たちである。そのため、彼らが何よりもすべきなのは、一般車両で痴漢をする男性を取り締まることであろう。痴漢冤罪をもちだす男性もいるが、それも充分な捜査や審理がされないこと等から生じている問題なので、犯人を取り違えてしまった女性に対してではなく、警察や司法に対して抗議するべきであろう。

える人は少なくない。
議論を始めるにあたって、まずは「差別」とは何かということから考えていこう。

「差別」とたんなる「区別」の違いとは？

おそらくどんな人も本章冒頭の大学入試の得点調整は、女性を「差別」していると考えるだろう。逆に、主として女性のために産婦人科が存在したり、男性が助産師になれなかったりすることは、男女の「区別」に基づくもので、男性に対する差別だと考える人はいないはずだ。

では、たんなる区別から差別を分かつのは、差別のいかなる特徴なのだろうか。いくつかの可能性が考えられる。[*7]

すぐに思いつくのは、差別の場合は差別される人が傷つけられたり、不利益を被《こうむ》ったりする、つまり「害」を被るというものだろう。入試の得点調整は、女性受験者に不当な不合格という害を与える。不妊治療の場合等を除いて男性が産婦人科を受診できないことには、そういう害は見られない。害という観点は、わかりやすく差別を際立たせているように見える。

しかし、害の有無によっては説明できないような事例も存在する。例えば、アメリカの人種差別政策の一環だった、バスで黒人は後方の座席に、白人は前方の座席に座らせる例では、黒人は目に見える害を被っていたわけではないが、明らかな差別とみなされる。

白人と区分けされることで、黒人が精神的な害を被ると言うことは可能だ。けれども、精神的な害は、個々人で感じ方が異なる。日常的に差別されてきた人がそれに慣れきってしまって害を感じない場合や、自分が差別されていることに気づかず害を感じなかった場合（海外で日本人への差別語を発せられたのに、その差別語を理解できなかった場合）、差別が生じていないというのは考えにくい。

また、精神的な害があればただちに差別になるなら、精神的な害を受けたことを理由にあらゆる場面――それこそ、女性専用車両やレディースデイ割引――で差別だと言い出す人が出てくるだろう。そうすると、差別という概念が好き放題に使えるようになってしまう。それゆえ、害の有無だけで差別かどうかを判断するのは難しい。

では、「悪意」があるかどうかで判断するのはどうだろう。行為者に悪意や不利益を与えようとする意図があれば、その行為は差別とみなせるというわけだ。確かに、自分のしたことが「差別だ」と非難されたときに、「悪意はなかった」と弁明する人は多いので、悪意の有無は何らか差別と係わりがあると考えられているのだろう。

＊7　以下の議論は、デボラ・ヘルマン『差別はいつ悪質になるのか』第1章−2章、および堀田義太郎「差別の規範理論」（『社会と倫理』第29号所収）を参照した。

けれども、人がある行為をしたときに悪意を抱いていたかどうかを外から判断するのは困難である。逆に、ある行為が差別かどうかは意図の有無とは独立に判断することができる。

例えばアメリカに行った日本人が、黒人に対する差別表現を、差別表現だと知らないまま使ってしまったとしよう。この場合、当人には悪意も差別する意図もなかったとしても、その発言は差別行為とみなされる。

悪意の有無は、行為をした人がどのような人であるか――悪質な差別主義者か、たんに無知で軽率な人か――を判断するうえでは考慮に値するが、行為それ自体が差別か否かを判断するうえで考慮される必要はないのだ。

では、害や悪意の有無によって差別かどうかを判断できないとしたら、何で差別を判断すればよいのか。考えられるのは、ある行為がどのような集団の一員に向けられ、それがなされた歴史的・文化的文脈のなかでどのような「意味」をもつかということだ。

つまり、ある行為が歴史的に不利益を受けてきた集団や現在も社会的不利益を受けている集団（女性、黒人、障碍者、在日コリアン等）の一員に向けられ、それが相手の価値を不当に貶《おとし》め、劣った地位に位置づける歴史的・文化的意味をもつ場合に、その行為を差別とみなせる。

例えば、女性差別の場合、女性は近代まで選挙権を与えられず、財産を所有することも禁じられ、社会的に劣った地位に位置づけられてきた長い歴史が存在する。また、現代でも先に述べたような不利益や害を被りやすい立場にある。そのため、女性であるという理由だけである人を不利に扱うなら、それは「差別」とみなされうる。

ただし、こうした集団に属する人に向けられた行為すべてが差別となるわけではない。重要なのは、そうした行為が相手の価値を貶め、相手を劣った地位に位置づけているかどうかということだ。

例えば、男性が女性に「化粧することを求める」という同じ行為であっても、それが雇用主による職務上の命令として発せられるか、恋人からの要望として発せられるかによって行為の意味は変わってくる。前者の場合、要求する人とされる人の間の制度的な上下関係と、この要求が置かれた雇用という文脈（化粧をしないと職場で不利な立場となる・解雇される）によって、女性を容姿や性的魅力によってしか評価されない地位に貶める差別とみなされうるが、後者の場合は、それだけで差別と言えるかは議論の余地がある。

差別のこのような定義づけは、男性たちがしばしば毛嫌いするような「何でもかんでも差別とみなすこと」を防止し、真の差別を非難して禁じるために必要不可欠である。ただし、以上の定義に基づくと、歴史上現在に至るまで日本で男性が劣った集団に位置づけられたことはないため、男性がどれだけ不利な処遇を受けても、それを差別とみなすことはできなくなる。

もちろん、男性がただ「男性である」という理由だけで不当な扱いを受けたとしたら、それはよいことではないし、非難されうる。しかし、それは女性が「女性である」という理由だけで不当な扱いを受けることとは根本的に異なる。女性差別は、歴史的に積み重ねられ現代にもなお存在する支配関係に基づき、それを再強化しているが、男性に対する不利な処遇は、そうした支配関係を背景になされているわけでも、それを再強化しているわけでもないからだ。

差別をめぐる男女間のこの非対称性は、支配者集団《マジョリティ》に属する男性たちには、不公平に映るかもしれないが、文脈をずらせばより理解しやすくなる。例えば、白人が過去も現在も圧倒的に有利な立場に立っているアメリカにおいて、白人が日本人を「ジャップ」と呼んで差別することと、逆に日本人が白人を誹謗中傷することは、根本的に異なる。なぜならアメリカでは、白人がアジア人によって差別されるような歴史も現状の支配関係も存在しないからだ。

日常にはびこる「差別的言動」

このようにして、ある行為をそれが置かれた文脈から解釈して差別かどうかを判断し、それを法律で取り締まることは可能であろう。けれども、実生活で女性たちが遭遇する頻度が高いのは、明らかな「差別」とまでは呼べないが、「差別的」だと言いたくなるような言動なのではないか。

例えば、(1)男性社員が女性社員に飲み会でのサラダのとりわけなど、「細やかな気配りができる」ことを求める。(2)大学教員が女性の学生や大学院生だけを「ちゃん」づけで呼ぶ。(3)大学でミスコンを開催したり、マスコミが女性に対して「美人アスリート」や「美しすぎる◯◯」といった呼称を用いたりする、といったことが挙げられる。

差別論の研究者である堀田義太郎に倣《なら》って、[*8] こうした言動を「差別」そのものとは区別して「差別的言動」(差別につながる言動)と呼ぼう。

雇用や入学などの権利や機会を制約したり、経済的不利益を与えたりする典型的な差別は、それ自体で非難したり罰したりできる。これに対して、制度的な上下関係が明確でない日常的な発言などに現れる差別的言動は、褒め言葉(「気配りができて女子力高いよね」)や親しみの表現(「~ちゃん」)として発せられることも多い。そのため、当事者にとってもしばしば差別的かどうか判然とせず、口を挟むと「細かなことに目くじらを立てる面倒くさい奴だ」などと逆に非難されることもある。

こうした場合、一つの言動を単体で見るべきではなく、それを支え、それを通じて強化されるような男女観や性差別の全体構造との関連に注目する必要がある。

例えば、(1)のような言動の背景には、女性が家事・育児・介護といった他人の「世話

---

*8 堀田義太郎「性差別の構造について」(堀江有里ほか編『生存学研究センター報告』第24号所収)参照。

をする仕事」を担わされてきた歴史があり、そのため職種的にも男性のサポート役（秘書や事務職）に就くことが多いといった背景がある。

社会学者の江原由美子は、「男は仕事、女は家庭」という夫婦間の役割分担として理解されがちな「性別分業」の本質を、男性を活動の主体とみなし、女性を「他人の活動の手助けをする存在」とみなす支配的な傾向として解釈している。[*9]「男は仕事、女は家庭」という役割分担に同意する人が少なくなっている一方で、主として女性たちが家事や育児の大半を担当し、女性が管理職を目指しにくいのは、男女ともこうした傾向に無自覚に従っているからだと考えられる。（1）のような言動は、表面的には女性を持ち上げているように見える反面、全体としては、この支配的傾向とそれに伴う差別構造を維持・強化している可能性がある。[*10]

（2）のような言動の背景にあるのは、活動主体たる男性の発言や行為を「一人前」のものとして認め、あくまでサポート役とみなされる女性の発言や行為を「子ども扱い」する傾向だ。[*11]こうした背景との関連から見るなら、大学教員が女性の学生や大学院生だけを「ちゃん」づけで呼ぶことは、男子学生は「大人」として扱い、女子学生は子どもやマスコットとして扱う差別的言動とみなされる可能性がある。

（3）の例に、女性をもっぱら容姿によって評価しようとする傾向を見て取るのは容易だ。この傾向は、男性を性的欲望の主体とみなし、女性を性的欲望の対象とみなす男性中心的な異性愛主義と密接な連関がある。[*12] 男性が公的な場面では自らの能力や成果を容姿や性的魅力から切り離して評価してもらえるのに対して、女性は能力や成果を容姿や性的魅力と共に評価される（あるいは、そもそも能力や成果を評価してもらうために容姿や性的魅力が必要とされる）場面が多い。

その一方で通常は、能力評価や仕事といった「公的な領域」のなかに、「私的な領域」に属する性愛や性的魅力が介入することは敬遠される。[*13] その結果、女性の能力や成果は、男性よりも格下げされて扱われやすい（女性アスリートに、競技に関係のない質問ばかり投げかけられる場合等）。容姿を過度に強調するマスコミの呼称やミスコンは、こうした傾向を助長する点で、「差別につながる言動」と言いうるのだ。

これらの差別的言動は、一部の男性たちだけに見られるものではなく、おそらく男性なら

＊9　江原由美子『ジェンダー秩序』、126－130頁。
＊10　加藤秀一『知らないと恥ずかしいジェンダー入門』、115頁参照。
＊11　江原由美子『ジェンダー秩序』、130－134頁。この点は、例えば警察に相談に行った際に、女性一人で行くよりも男性が付き添ったうえでの相談の方が信用されやすいといった事例にも見て取れる（小川たまか『「ほとんどない」ことにされている側から見た社会の話を。』、84－85頁）。
＊12　江原由美子『ジェンダー秩序』、144頁。
＊13　仕事や政治といった公的な領域において、しばしば「女性的な」衣装や化粧のせいで自分が「不真面目な存在」とみなされてしまうことを恐れる女性は少なくない。チママンダ・ンゴズィ・アディーチェ『男も女もみんなフェミニストでなきゃ』、くぼたのぞみ訳、62－63頁参照。

誰しもが、また数多くの女性たちも、それを行ったり、笑って見過ごしてしまったりしたことがあるだろう。フェミニズムとは、まさにこうした差別的言動の背景をなす男女観や性差別的構造を問題化する運動として位置づけられる。

フェミニズムはすべての人のためにある

フェミニズムについては、今もなお「いつでもどこでもただひたすら男女を平等にしろという運動」、さらには「女性を優遇して、男性を非難・蔑視する思想」といった誤解が根強い。こうした誤解を避けるために、フェミニストのベル・フックスは、フェミニズムを「性にもとづく差別や搾取や抑圧をなくす運動」と定義している。

この定義が明確に示しているのは、問題は性差別だということである。そしてそのことが思い出させるのは、わたしたちはみな、女であれ男であれ、生まれてからずっと性差別的な考えや行動を受け入れるよう社会化されている、ということだ。その結果として、女性も、男性と同じように性差別的でありうる。そして、そのことで男性支配が見逃されたり正当化されたりするわけではないが、同時に、フェミニズム運動は単に女性が男性に反対するものだと見なすフェミニストがいるなら、それはまたあまりにも単純素朴でまちがった考えである。家父長制（制度化された性差別の呼び方）をなくすためにはっきりさせなくてはならないことは、わたしたちはみな、頭や心を変えないかぎり、そして、性差別的な考えや行動をやめてフェミニズム的な考えや行動をとらないかぎり、連綿と続く性差別に加わっているということである。[*14]

性差別の典型が男性による女性差別であることは疑いようがないが、女性もまた他の女性に対して性差別や差別的言動を行うことがある。

例えば、母親が娘を息子と同等に扱わなかったり（娘の教育に息子ほどお金をかけなかったり）、逆に娘が主婦である母親を見下したりする。女性教員が女子学生を過小評価したり、女性社員が女性の後輩に自分たちが耐えてきたハラスメントに耐えることを強いたりすることもある。そして、女性が容姿で他の女性を差別したり、「女性らしい」振舞いをしない女性を蔑《さげす》んだりすることも珍しくない。

こうした女らしさといったジェンダーに係わる差別だけでなく、LGBT等の性的マイノリティに対するセクシュアリティ（性的指向や性自認）に係わる差別も存在する。例えば、異性愛を「普通」とみなす男女は、自分たちとは異なる性的指向をもつ、同性愛女性（レズ

*14　ベル・フックス『フェミニズムはみんなのもの』、堀田碧訳、8頁。

ビアン）、同性愛男性（ゲイ）、両性愛者（バイセクシャル）等に対して、意識的であれ無意識的であれ、差別をしたり差別的な言動をしてしまったりすることがある。[*15]

また、自分が生まれつき男性ないし女性であることを疑わないシスジェンダーの人々は、出生時に割り当てられた性――いわゆる生物学的な性別――とは異なる性を生きようとしたり、性自認が揺れ動いたりするトランスジェンダーを異常視したり、差別したりする。[*16]

フックスの定義に従うなら、フェミニズムとは、男性による女性差別だけでなく、以上のような様々な性差別を問題化し批判する運動として理解できる。

男性もまた、周囲の男性や女性から、「男らしく」あることを求められたり、結婚して子どもをつくらないと一人前扱いされなかったりすることがある。こうした「男らしくあれ」という性規範や、家長たる父親が家族を支配し統率する家父長制――家庭内だけでなく社会の至る所で見られる、強い立場にある者が弱い立場にある者を支配し抑圧する支配形態――によって、男性たちもまた束縛されていると言える。それゆえ、フェミニズムは、たんに女性だけのためのものではなく、男性のためになるものでもある。

男性は、家父長制から得るすべての良いことと引き換えに、家父長制を機能させつづけるために、必要とあらば暴力をふるってでも、女性を支配したり、搾取し抑圧することを求められている。ほとんどの男性は、家父長主義的にふるまうことはできないと感じている。ほとんどの男性は、男性が女性にふるう暴力のせいで女性たちが感じている憎しみや恐れに、動揺を感じている。それは、みずから暴力をふるっている男性でさえそうなのだ。〔…〕わたしは、男性たちが変わり、成長する可能性を信じている。そして、もしフェミニズムについてもっとよく知れば、男性たちはフェミニズムを恐れなくなると思う。なぜなら、男性たちがフェミニズム運動に見いだすのは、自分自身が家父長制の束縛から解き放たれる希望なのだから。[*17]

多くの男性たちは、家事や育児や介護を女性たちに丸投げすることで、仕事に専念し収入や公的な信頼を獲得してきただけでなく、妻や子どもを自分に依存させ、従わせることができた。しかし、そのために彼らは、妻との対等な関係や子どもとの愛情ある関係を犠牲にしてきたとも言える。フェミニズムは、こうしたあり方の歪みを問い直し、「支配者」「稼ぎ手」「威厳ある父」であり続けねばならないという家父長制の束縛から男性自身を解き放とうとする。だとしたら、男性たちが「フェミニズムを恐れる」必要はなくなるのだ。

*15 異性愛主義とそれにまつわる差別については、風間孝・河口和也『同性愛と異性愛』、堀江有里『レズビアン・アイデンティティーズ』参照。
*16 トランスジェンダーとフェミニズムの関係については、田中玲『トランスジェンダー・フェミニズム』、小宮友根「フェミニズムの中のトランス排除」(『早稲田文学』2019年冬号所収)参照。
*17 ベル・フックス『フェミニズムはみんなのもの』、堀田碧訳、8-9頁。

さらに、家父長制にまつわる性規範は、異性愛者でシスジェンダーの性的マジョリティだけでなく、先に触れた性的マイノリティの人々を様々な仕方で縛りつけたり、苦しめたりしている（同性愛者は異性との結婚や子づくりを周囲から期待されたり、トランスジェンダーは出生時に割り当てられた性に即したあり方を求められたりする）。だとしたら、こうした性規範を問い直していくことは、性的マイノリティの人々にとっても少なからぬ意義をもつはずだ。

　では、どのようにして私たちに根づいた支配的な男女観を問い直していけばよいのだろうか。そして、哲学には何ができるのだろうか。

2　私たちは、どのように男女を見分けているのか

性差別は簡単に論破できる？

仮にあなたがフェミニストだとして、性差別的な主張をする人に反論するのはそれほど難

しいことではない。というのも、性差別的な主張は、単純な論理的誤りから生じていることが少なくないからだ。

例えば、（1）「男性は生まれつき攻撃的であり、女性は生まれつき感受性が強い。だから女性は気配りができる」といった主張に対しては、「誤った前提から出発している」と指摘できる。確かに、男女の脳に生まれつきの違いも存在するが、その違いはごくわずかである。真っ当な脳科学者であれば、男女の脳がどのように発達しやすいかという傾向の違いを指摘するにとどめているはずだし、この傾向がどのように発現するかは育った環境に大きく左右される。[*18]

（2）「女性には生理痛や妊娠・出産で会社を休む人がいる。そうした女性は仕事にむいていない」といった主張は、誤った前提から出発しているわけではない。しかし、この主張には、「仕事とは、一日たりとも休めず、体調を崩す可能性がある人にはむいていない」というもう一つの前提が隠されている。こんな「仕事」にむいている人は、男性のなかにもほとんどいないはずだ。

（3）「女性の多くは出産能力をもつ。そうした女性は子どもを産むべきだ」という主張は

＊18　脳科学を用いて男女の間には先天的で不変な違いがあると主張しようとする「神経学的性差別」の誘惑と弊害については、レイチェル・ギーザ『ボーイズ』、77－81頁参照。

どうだろうか。これは「女性の多くは出産能力をもつ」という「事実」から「産むべき」という「規範」を直接導き出してしまうという誤りをおかしている。もしも事実が即座に規範を導くなら、「歩ける人は、車やエレベーターなどは使わずに歩くべき」ということになってしまう。当然ながら、歩ける人でもその能力を用いるかどうかは、当人の選択に委ねられ、体調や予定の有無、歩きやすい環境かどうかによって変わってくる。同様に、女性が出産するかどうかも、女性の選択に委ねられ、女性の健康状態や人生計画、出産しやすい環境が整っているかどうかに左右される。

性差別的な主張に見られる以上のような論理的な誤りを暴くことで、哲学は性差別の是正を促すことに寄与しうる——こう考える人もいるかもしれない。けれども、論理的誤りを指摘されれば人は性差別的な見方を改めるだろうか。残念ながら、その可能性は低い。

そもそも相手を論駁することが相手の言動を変える有効な手段かどうかという問題もあるが、相手が自分の論理的誤りを認めたとしても、差別的な言動を支える男女の見方は変わらないかもしれないからだ。

私たちは、ある人が性差別的な考えをもっているがゆえに、それが言動となって表れると考えがちだ。しかし、性差別的な見方はもっと手前、すなわち男女を見分ける時点ですでに入り込んでいる可能性があるのではないか。だとすれば、性差別的な主張は後づけにすぎないことも考えられる。それは一体どういうことだろうか。

性差の類型的な知覚とは？

男女を見分けるとき、私たちは相手の生物学的な性別（sex）を見てとっているわけではなく、社会的・文化的な性差（gender）を見てとっている――この極めて単純な事実から出発したい。

日常生活で、相手の性器の相違や出産能力の有無等といった生物学的特徴から男女を判断している人はまれだ。私たちは、相手の服装や声色に接するとただちに相手を「男性」か「女性」に振り分けてしまう。一人ひとりの男性や女性には様々な違いがあるが、大抵の場合、そうした違いは問題視されずに、同種の「男性」、同種の「女性」とみなされる。つまり、私たちは社会のなかで男性か女性に一般的に結びつけられる特徴のもと、相手を「男性」や「女性」という「類型」（社会的・文化的に形づくられた典型的なあり方）のもとで知覚している。[*19]

こうした類型的な知覚には、相手の振る舞い方に対する予期や期待が含まれている。相手を「女性」として知覚した際、そこには「女性的な」動き方や言葉遣いの予期や期待が何ら

＊19　類型的な知覚の詳細な説明については、田口茂『現象学という思考』、第4章参照。

か含まれ、例えば肩を揺らして歩いたり、「俺」という一人称を用いたりはしないといった予期が働いている。

性差の類型に見られる様々な特徴や性差の類型的な知覚に含まれる予期や期待は、社会的・文化的な慣習によって形づくられるところが大きい。そのため、男性中心的で家父長的な社会で育った私たちの類型的な知覚には、何がしかの偏向《バイアス》が含まれている。

こうした偏向を是正するためには、性差別的な主張の論理的誤りを指摘するだけでは不充分である。なぜなら、そうした主張の前提となる事実を見て取る段階で、性差別的な見方や偏向が忍び込んでしまっているとしたら、どれだけ論理的誤りを指摘しても、そうした見方や偏向は一向に是正されないからだ。[*20]

女性の身体経験を哲学する――「女の子投げ」と「月経」

では、私たちの知覚に根づいた「男性」や「女性」の類型について、どのようなアプローチが可能なのだろうか。ここでは、従来見過ごされてきた女性の身体経験（月経、妊娠、出産、乳房のある身体等）を女性自身の観点から記述し分析する「フェミニスト現象学」のアプローチに注目したい。[*21]

日常生活における身体の使い方だけを見ても、歩き方、走り方、椅子の座り方、重い物の持ち方、ボールの投げ方等に性差が見て取られることがある。例えば、がに股で歩き、足を広げて座るのは「男性」という類型に属する特徴だとみなされ、内股で歩き、足を閉じて座るのは「女性」という類型に属する特徴だとみなされる。

女性的な身体運動としてしばしば言及されるのが、「女の子投げ」と呼ばれるものだ。野球の始球式等で、女性タレントが肩を回さずに腕だけでボールを弱々しく投げるような投げ方のことだ。こうした身体の使い方を目にすると、男女間の生物学的な違いをもちだして、女性は筋力が少ないために、こうした投げ方をするのだと説明したくなる。けれども、女の子投げは男女間の筋力の相違が認められない（むしろ女の子の方が男の子よりも身体的に発達している）幼少時においても見られる。そのため、こうした説明は疑わしい。

女の子投げをする女性自身の視点から、この身体運動はいかに経験されているのか。フェミニスト現象学者のアイリス・マリオン・ヤング（1949－2006）は、次のように分析している。[*22]

男性的な身体がキャッチャーのミットめがけて体全体を使って投げようとするのに対して、女性的な身体は腕の一部しか動かず、残りの部分が物のように自分の内側にとどまったまま

＊20　Sara Heinämaa, A Phenomenology of Sexual Difference, in: C. Witt (ed.), *Feminist Metaphysics*, pp. 144-145.
＊21　フェミニスト現象学については、中澤瞳ほか編『フェミニスト現象学入門』の諸論考を参照。
＊22　Iris Marion Young, Throwing Like a Girl, in: *On Female Body Experience*.

である。また、女性的な身体運動は、「できない」「できないかもしれない」といった躊躇《ちゅうちょ》や自信のなさによって、しばしば抑制されてしまう。

こうした特徴は、男女の生物学的な違いからではなく、男女の類型が形づくられる社会的・文化的背景との関係において理解されなくてはならない。女の子たちは早くから、運動感覚や空間感覚を養う遊びよりも、体をあまり動かさない「女の子らしい」遊びをするよう促される。また、「女の子なんだから足を広げて座らない」等と注意され、体を大きく使うことを抑制される。

たとえ、両親が娘を「女の子らしく」育てようとしなかったとしても、彼女たちは周囲の大人やテレビや読み物を通じて、「女らしい」あるいは「男らしい」振舞いがどのようなものかを学んでいく。そして、先に見たように、もっぱら男性が活動の主体とみなされる社会では、女性たちは自分で活動するよりも、外見や振舞いを評価してもらえるように動くことを促される。そこでは「女らしい」仕草や動き方に「かわいい」(男性をおびやかすことなく、愛《め》でられ守られる)という意味が付与される。

こうした社会的・文化的背景のもと、女性たちは運動や競技で体全体を使ったり、自分の全力を出したりすることを抑制され、自分の能力を過小評価して目標を下げやすくなる。*23

もちろん、以上の分析にあてはまらない女性(女性アスリート、日常的に肉体労働をこなしている女性等)も数多くいる。女の子投げのような「女性的」身体運動は、すべての女性が有している特徴ではない（女の子投げをしない女性もいる）し、女性だけに見られる特徴でもない（女の子投げをする男性もいる）。つまり、それは「女」という性別をもつ人すべてにあてはまる「女性の本質」をなすのではない。

その一方で、「女性的」身体運動は、特定の社会において女性の類型を形づくり、私たちが「女性」を知覚する際に一定の役割を果たし、そうした知覚に含まれる予期や期待に影響を与えている。例えば、女の子投げをしない女性は驚きをもって見られ、女の子投げをする男性は男らしくないとみなされる。

こうした類型に即して、私たちは普段何気なく、女らしく／男らしく振る舞ったり、相手の振舞いをもとに男女を見分けたりする。そうした振舞いは、男女の生物学的な特徴と関連づけられることで「自然な行動」だとみなされ、それらに基づいて男女を見分けることも同様に「自然な知覚」だとされる。しかし、こうした行動や知覚は、自然なものでも、選択の余地がない本能的なものでもない。

女性や男性の身体経験をそれが置かれた社会的・文化的背景から見つめるなら、生物学的な見方によって「自然」だとみなされた現実とは異なる現実が浮かび上がってくる。私たち

＊23 実際に、学生のなかには、小中学校時代に運動や競技等で全力を出さずに、わざと男子に負けたことがある女性が少なからずいた。

は女らしい／男らしい振舞いをしたり、女らしい／男らしい服装を選んだり、脱毛や化粧をしたり、それらに基づいて男女を見分けたりすることで、性差に関する社会的・文化的な規範や慣習に従ったり、女性や男性の類型を維持・強化しているという現実だ。

だが、私たちはこうした規範や慣習や類型に、ただ盲目的に従っているわけではない。私たちには常に、規範や慣習が要求するのとは異なる仕方で振る舞う余地が残されている。例えば、女らしい／男らしい振舞いをあえてしなかったり、自分の性別に割り当てられた服装とは異なる服装をしたり、脱毛や化粧をすることを拒んだりすることは可能だ。[*24] 目に見える抵抗という形をとれない人でも、私たちが規範や慣習に一方的に従属させられているのではなく、自分自身の身体を通じて日々「応答」しているという現実を見据え、伝統的な男女観を不変なものとみなしたり、男女の言動を自然なものとみなしたりしないようにしていくことは可能だ。

哲学、とりわけフェミニスト現象学は、以上のような経験の分析を通じて、性差に関する自身の見方や態度を見えるようにして、それらに各人が責任をとりうる現実へと私たちを連れ戻す。そうして、性差に関する既存の規範や慣習、各人の類型的な知覚を揺り動かし、男女や性差の見方そのものを変革していく可能性を開くのだ。

例えば、フェミニスト現象学者の宮原優は、月経の経験の分析を通じて、こうした可能性を模索している。[*25] 彼女は、月経が公共的な語りから排除され、生理休暇が形骸化してしまっている要因を三つの側面から明らかにする。
（1）月経が「妊娠・出産のための準備の機能」という生理学的な側面だけから説明されることで、月経が「体内の問題」とみなされ、結局個人の問題にされてしまう。（2）月経に性的な意味が過剰に付与されることで、月経が「性的でエロティックなもの」とみなされ、公的な場で語ることが「不適切な話題」にされている。（3）生理痛は、個々人で症状が異なるため、女性同士でも一般的な仕方で語ることが難しく、当事者も口を閉ざしてしまう。
経験している女性の観点から月経を見つめ直すなら、それは決して体内に閉ざされたものではなく、学校や職場といった環境や、家族や同僚といった他人との関係と切り離せない。そのため、月経について、たんに痛みの軽重だけでなく、それによって環境や他人との日常的な関係がどのように変容し、どういった活動が困難になるかという点から語り直すことが肝要となる。

このような語り直しを通じて、生理学的な説明や過度に性的な見方によって歪められた月経の経験を、女性自身が取り戻すことが可能となる。そうして、月経の経験やそれにまつわる困難を他人と共有し、他人の力をかりて乗り越えたり、生理休暇を実効的なものにしてい

＊24　クリスチャン・ザイデル『女装して、一年間暮らしてみました。』、金友子「ワキ毛」（『オルタ』所収）を参照。
＊25　宮原優「月経について語ることの困難」（『理想』第695号所収）参照。

ったりすることもできるようになると思われる。

3　男性とフェミニズム

男性も家父長制によって抑圧されている？

前節では、女性たちの経験に光をあて直し、それを当事者の視点から考え直す必要性について論じてきた。こうした視点から、男性たちの経験についてもこれまでとは違った仕方で語り直すことはできるのだろうか。男性たちの経験を語り直すことは、男性たちの性差別的な見方を変容させることにつながるのだろうか。以下では、このことを考えてみたい。

すでに述べたように、フェミニズムは、女性だけでなく男性も家父長制の束縛から解き放とうとするものであった。日本における男性学やメンズリブ運動は、フェミニズムのこうした方向性に共鳴しつつ、男性たちを「抑圧」している「家父長的な男らしさ」――支配者、稼ぎ手、威厳ある父としての男性像――から彼らを「解放」することを模索してきた。

というのも、幼少時から男らしさを目指す（よう強いられる）ことで、男性たちは感情を表に出せなくなってしまったり、家庭で愛されることなくただ恐れられたり、追い込まれた際に周囲の人々に助けを求められないまま自死を選んでしまったりすると言われているからだ。[*26]男性学やメンズリブ運動によって、既存の「男らしさ」に対する男性たち自身の違和感や男性たち特有の「生きづらさ」に光があてられたという意義は疑いようがない。しかしながら、もっぱら男性たちを「男らしさ」や「生きづらさ」から解放しようとするこうした運動は、男性たちのなかで「自己完結」しており、性差別や同性愛差別の構造に影響を及ぼすことがないのではという疑念も示されてきた。[*27]

何より「男性も家父長制によって抑圧されている」と主張するだけなら、男性が今なお家父長制から得ている利益から目を逸らし、男性たちによる女性や性的マイノリティに対する根強い性差別や、差別を成り立たせている社会構造を等閑視することにつながりかねない。

こうした危険性を考慮に入れながら、男性と男らしさの関係を問うことが自己完結に陥らずに、フェミニズムに寄与しうるとしたらどのようにしてであろうか。以下では、こうした

＊26　多賀太『男性のジェンダー形成』、84頁。Victor J. Seidler, Masculinities, Bodies, and Emotional Life, in: *Men and Masculinities* vol. 10, n°1, p. 13.

＊27　蔦森樹編『はじめて語るメンズリブ批評』、12頁。「『男として生きることはこんなにも重圧があって息苦しい。そこから解放されて、ほんとうの自分らしさに行き着きたい』『〈男はこうあるべき〉という規範から脱し、豊かな人間関係を作っていきたい』こうした趣旨の発言を聞くたびに、正直私は、いつも自分の身の置き所に戸惑った」（内田聖子「〈性の属性〉を超え、〈生き方の選択〉へ」、同書165頁）。

観点から、（1）「どのような男らしさが男性たちに求められているのか」、（2）「誰がそれを求めているのか」という問いを考えていきたい。

お膳立てされた男らしさ

私たちは、様々な意味で「男らしい」という言葉を用いる。スーツを着こなすビジネスマンを「男らしい」と言うこともあれば、肉体労働に汗を流す筋骨隆々の姿を「男らしい」と言うこともある。

社会学者のレイウィン・コンネルは『数々の男らしさ』のなかで、男らしさの複数性と階層性に着目している。[*28] 社会の中で支配的な地位を占める男らしさは、それ以外の男らしさとの関係性のなかで特権化される。例えば、現代の家父長的な社会ではホワイトカラー、異性愛者、既婚者が「覇権的な男らしさ」とみなされ、ブルーカラーや非正規雇用、ゲイ、未婚者といった「従属的な男らしさ」との対比のもとで、特権化されている。

こうした「覇権的な男らしさ」の際立った特徴として、「自立」（independence）と「自律」（autonomy）が挙げられる。家父長的な社会においては、男性たちはしばしば、他人（親やパートナー）に依存しないで自活すること（自立）とともに、自分の意志にのみ基づいて行動すること（自律）を求められる。

逆に、いわゆる「ニート」や失業者のように他人に経済的に依存している男性たちや、もっぱら親や妻の決定に従い「マザコン」や「妻の尻に敷かれた夫」と揶揄《やゆ》される男性たちは、「一人前の男」扱いされない。

ところが、一見すると自立し自律しているような男性たちも、女性たちの視点から見直すと、全く別様に見えてくる。男性たちは試験合格、就職、社会での達成といった成功を自分だけの力で成し遂げたと勘違いしやすいが、実際には、彼らの成功は様々な特権（多数を占める男性評価者や男性たちによって作成された評価基準）や女性たち（母親、妻、事務職員）に依存していることが多い。

親を介護する男性たちについて緻密な分析を行った平山亮は、男性たちが家事・育児・介護だけでなく、それらを機能させる家庭内の細かな関係調整を女性たちに委ねていると指摘している。[＊29] 例えば、親の介護に際して、女きょうだいや妻は往々にして、自分の男きょうだいや夫が介護に加われるように、「誰が・何を・いつ・どのように」提供するかということの「お膳立て」をしている。

さらに女性たちは、彼女たちのサポートがなかったかのように振る舞うことで、男性たち

＊28　Robert W. Connell, *Masculinities*.
＊29　平山亮『介護する息子たち』、とりわけ第2章および終章を参照。

が独力でそれを成し遂げたと思わせてあげるという「二段重ねのお膳立て」をしている。自分は「自立し自律している」と思っている男性は、実際は、こうした私的領域での依存を「なかったこと」にし、公的領域で自律的に振る舞っているという点で「欺瞞《ぎまん》的」なのだ。

男性たちは女性たちの「二段重ねのお膳立て」によって、女性のサポートや男性の特権の存在を知りえない状態におかれているのだろうか。けれども、女性の様々なサポートや男性ばかりの面接官を文字通り「見ていない」（知らない）ということはありえない。むしろ、男性たちは女性のサポートや男性の特権と、自分の成果のつながりを注視していないか、過小評価していると考えられる。

男性たちが、実際には「女性や特権のおかげで」できたことを「自力で」なしたとみなし、「女性や特権に依存している」自分を「自立している」とみなすとき、それはえてして単なる勘違い以上のものを孕んでいる。女性のサポートや男性の特権への依存を否定する男性は、こうした事柄に自分の成果が依存していると思っていないだけでなく、そう思おうとしないことがある。そうした場合、彼らは自分が女性や特権に依存している可能性を示す事実が出てきても、それを無理やり正当化し、そうした事実の重みを奪っていると思われる。

入試の不正をはじめとした、社会における男性優位を伝える報道に囲まれるなか、男性たちは心のどこかで「もしかしたら女性や特権に依存しているかもしれない」という懸念をもち、そうした懸念を呼び起こす事実を直視しないようにしているのではないか。自分たちが女性たちのサポートや男性優位のシステムに依存してきたという事実を露わにするフェミニズムを、一部の男性たちが「恐れる」のは、こうした事情によるのかもしれない。

誰が男らしさを求めているのか？

でも、と言いたくなる男性もいるだろう。自分たちは「自立し自律した男性」として振舞うことを周囲の女性たちや社会から求められているのだ、と。もしそうだとしたら、男性たちもまた家父長的な社会の「被害者」ということになるのだろうか。

このことを吟味するために、私自身の「怒鳴ってしまった」経験を手がかりに、「誰が男らしさを求めているのか」を考えていきたい。

私は大教室での授業中に、次の時限の授業を受講する学生が、出席のためのカードリーダーを通しに教室にぞろぞろと入ってくるのに遭遇して怒鳴ったことがある。我を忘れてキレてしまったわけではないが、悪質な学生には威圧的な態度で臨まねばという思いがあった。

数人の学生からは「叱ってくれてすっきりした」という反応が返ってきたものの、他の学生からは「恐かった」「怒鳴るのはやめてほしい」といった反応もあった。そのとき、過去に親や教師から怒鳴られたことがトラウマとなっている学生たちの存在を思い出し、怒鳴ってしまったことを後悔した。

自身の言動を振り返ってみたとき、一対一の場面ではなく、第三者に見られていると感じるときに、いわゆる「男らしい」態度（示威的な態度や体面を繕う態度）をとっていることに気づいた。卑近な例では、寿司屋のカウンターなどで店員の視線を感じると、口数が少なくなり、「男らしい男」を演じてしまい、同席する妻に居心地の悪い思いをさせたことが何度かあった（しかも、後から妻に指摘されてそのことに気づいた）。

男性学の研究者である田中俊之は、こうした態度を、幼少時から競争を宿命づけられた男性たちが「男らしくしなければならない」というプレッシャーを感じ、他人と自分を比較して「見栄」や「意地」を張るという形で説明している。[*30] フックスは、家父長制が男らしさを「恐れるべき」ものにすることで、「愛されるよりも恐れられる方がよいと男性たちが感じるようにしている」とする。[*31]

こうした解釈は一定の説得力をもつものの、家父長制によって男らしい態度をとることを「強いられている」被害者として男性を描きやすい。しかし、男性たちは「男らしく」あることを本当に強いられているのだろうか。

先の例で言えば、私は怒鳴るように学生たちに「強いられている」わけではなく、いくつかの行為の選択肢の中から怒鳴るという行為を選択している。あるいは、もしそのとき自分には怒鳴るという行為以外の選択肢が本当に見えていなかったのだとすれば、怒鳴るという行為を「自分に強いている」と言うことはできる。

学生たちが男性教員に向ける期待によって、威厳ある教師としてズルをした学生には毅然とした態度をとるよう「強いられている」のだと主張する人もいるかもしれない。しかし、第三者はつねにそのような期待を向けているわけではなく——実際に怒鳴ることを期待していなかった学生も多かった——、むしろ、男性が自身への「男らしさ」の期待を第三者のまなざしに「投影」していることが多い。

第三者のいる場面で「男らしさ」への期待を感じるのも、とりわけ公的な場面（教室）で相手（怒鳴られた学生）に対して「男らしい」振舞いをすることを、本当は私自身が自分に求めているにもかかわらず、この要求を第三者（他の学生たち）のまなざしの内に見て取ることで、あたかも自分が第三者から男らしさを求められているかのように感じるからだろう。

社会学者の須長史生《ふみお》は、自分の外見にコンプレックスをもつ男性たちに関して、同様の点を指摘している。[*32] 男性たちはしばしば「女性にもてない」から自分の外見を気にすると言うが、実際には、そうした外見を理由に女性から嫌われたことがあるわけではない。彼らは、外見だけで男性を評価するような「フィクションとしての女性の目」を自分や身近な男性集団（友人や同僚）のなかでつくりあげ、それを現実の女性のまなざしに投影することによっ

＊30　田中俊之『男がつらいよ』、26－31頁、37頁。
＊31　bell hooks, *The Will to Change*, p. 120.
＊32　須長史生『ハゲを生きる』、137－146頁。

て、自縄自縛《じじょうじばく》に陥っている可能性がある。[*33] 実際、もし本当に周囲の女性から「男らしさ」を求められたとしても、それを当の男性自身がどこかで求めていなければ、女性からの要求が響くことはないだろう。

自分のあるべき男性像を女性のまなざしに投影する傾向について、ボーヴォワールは半世紀以上前に、次のように述べていた。

今日でもこうした傾向は個々の男のなかに見出せる。圧倒的多数の男たちがそれに負けている。夫は妻のなかに、恋する男は愛する女のなかに、石像のかたちをした自分の姿を求める。男は、女のなかに、男らしさの、崇高さの、自分のじかの現実の神話を探し求める。〔…〕しかし、男の方も自分の分身の奴隷なのである。[*34]

男らしさのあり様は時を経て様変わりしているとはいえ、気づかぬうちに男らしさを求めたり、利用したりしている男性は少なくない。男性たちは家父長的な男らしさに窮屈さを感じつつ、その裏にある様々な都合のよさ——男らしく振る舞えば相手を従わせられたり「一人前の男」として対応してもらえたりする等——のために、それを捨てきれないでいるのではないか。

男らしさを求めているのは自分自身でありながら、第三者（女性たちや社会）が自分に求めているのだとみなすことは、家父長的な男らしさにどこかで自分が与《くみ》しているという事実を覆い隠してしまう。そうして、自分は既存の男らしさに執着しないとか、そこから「降りる」と言いつつ、都合のよいときだけ男性であることの特権や恩恵を享受しているのかもしれない。

だとしたら、「男性も家父長制に抑圧されている」と主張する前に、こうした「自己欺瞞」を通じて、自分が男らしく振る舞うことに対する男性たち自身の責任が回避されている可能性に注意を払うべきではないだろうか。

フェミニズム的男らしさの可能性

それでは、男性たちは家父長的な男らしさを求めるのをやめて、どこに向かうべきなのだろうか。男女の枠を取っ払って性差に囚われない生活を送れるようになるのが理想かもしれないが、それがすぐに可能となるとは思えない。だとしたら、家父長的な男らしさに代わる

＊33 清田隆之は、「何かと上下や勝ち負けに還元する価値観」を身近な女性に投影して自縄自縛に陥る男性たちの例を挙げている。清田隆之（桃山商事）「〝鏡〟の中の俺たち」（『現代思想』2019年2月号所収）、61頁。

＊34 シモーヌ・ド・ボーヴォワール『第二の性』第Ⅱ巻「体験」下巻、『第二の性』を原文で読み直す会訳、455–456頁。

新たな男らしさを構想することも必要なのではないか。

新たな男らしさを設定したり求めたりすることに、懸念を抱く人も多い。[*35] 例えば「イクメン」のような男らしさのモデルを立てることは、既存の性規範に抗っているように見えて、その実、異性愛主義や父・母・子からなる家族を特権視する近代家族観を再生産しかねない。けれども、フックスの次のような主張は、なお傾聴に値する。

家父長主義的な男らしさが男性たちに教えるのは、自分が何者であるかということやアイデンティティや自分の存在理由が、どれくらい他人を支配できるかにかかっている、ということである。これを変えるために、男性は、男性によるこの地球の支配を批判しなくてはならないし、男性がより弱い男性や女性や子供を支配することに反対しなくてはならない。だが同時に、男性たちは、フェミニズムの考える男らしさとはどのようなものなのか、はっきりしたヴィジョンを手にする必要がある。イメージできないものに、人はどうやってなれるというのだろう？　そうしたヴィジョンを、男性にしろ女性にしろ、フェミニズムの思想家はこれからもっとはっきりした形で示さなくてはならないのだ。[*36]

フックス自身は男らしさを主題にした著作のなかで、人や物を支配し「思いのままにする力」ではなく、「自分や他人たちの責任を負うことができる」強さをもつ「フェミニズム的男らしさ」を提唱しているが、[*37] 以下ではより具体的にこのフェミニズム的男らしさの可能性を考えていきたい。

(1)自分の力の限界を認め、制度を変革する

男性中心的な社会が男性たちの見方を「自然な」ものとみなして助長している場合、男性たちはたんに自らの見方に含まれる偏向や自己評価の歪みを自覚して満足するのではなく、そこから男性中心的な慣習や制度の変革に向かうべきであろう。というのも、自分たちの見方を変えるためには、その社会的・文化的な背景をなす慣習や制度を変えていくことが不可欠だからだ。

それゆえ、自分たちの力や意識改革だけで性差別的な現状を変えられるとする思い上がりを捨てて、女性枠等のアファーマティブ・アクションを推進するようなあり方をフェミニズム的男らしさと呼べるだろう。

アファーマティブ・アクションは、男女の割合を均等にする結果平等を目標にしていると誤解されやすいが、それが実現しようとするのは、実質的な機会平等である。というのも、

＊35 蔦森樹編『はじめて語るメンズリブ批評』、288－294頁。
＊36 ベル・フックス『フェミニズムはみんなのもの』、堀田碧訳、126頁。
＊37 bell hooks, *The Will to Change*, p. 117.

雇用機会均等法等によってたんに形式的な機会平等が確保されただけでは、管理職や地方議員・国会議員が男性たちに独占されたまま「女性は管理職や議員になりたがっていない」などとされ、実質的な機会平等が達成されないからだ。

管理職や議員における「女性枠」の設置については、「女性だからといって優遇するのはおかしい」とか、「逆に男性を差別するものだ」と言って反対する人も多い。しかし、至る所で多数を占める男性評価者が、これまで「公正な評価」を心がけてきたにもかかわらず、それが果たされていない現状がある。

というのも、評価する側に立つ男性たちや少数の女性たちは、自らが評価されてきたときと同様の男性中心的な評価基準（仕事量や業績の数）で候補者を評価し、そうした基準を満たさない女性たち――家事や育児、介護のために男性ほどの仕事量で働けない女性――を過小評価してしまう傾向があるからだ。だとしたら、評価者としての自分の力の限界を認め、制度の助けをかりてより公正な評価を目指すということも、自身の責任をとる一つの方法でありうる。

このように考えれば、アファーマティブ・アクションは、女性を「優遇」したり、男性を「逆差別」したりするものではないことがわかる。[*38] それはむしろ、男性を中心に作成されてきた評価基準の一面性や、多数を占める男性評価者の無自覚な偏りを埋め合わせるためにある。[*39]

アファーマティブ・アクションの恩恵を受けた女性は、時に「女性だから選ばれた」という見下しや劣等感に苛《さいな》まれると言われる。しかし、アファーマティブ・アクションが候補者を女性という一側面だけから過大に評価するものではなく、むしろ評価する側の無自覚な偏りを是正するものとして理解されるなら、評価される側の心理的負担は緩和されるだろう。

それに、数多くの女性が管理職や専任職に就くことで、評価する側の視点が多様になっていくなら、候補者の能力や特性に見合った形で評価される可能性も増えるはずだ。これは、これまで一律の評価基準によって評価されてきた男性たちにとっても、評価基準の選択肢が広がる点で喜ばしいことだ。

アファーマティブ・アクションを推進するあり方を、わざわざ「男らしさ」と形容する必要はないのではないか――そう思う人もいるだろう。けれども、これまで男性中心的な制度からの恩恵を受け続けて、制度を変革できる立場にいるのは主として男性たちである。だとしたら、現行の制度を改善する責任もまた男性たちにより多く課されているはずだ。

＊38　アファーマティブ・アクションを「逆差別」とみなす議論への反論や女性の「数」にこだわる必要性については、池田喬「アファーマティブ・アクションの哲学」（『理想』第695号所収）参照。
＊39　アイリス・マリオン・ヤング「政治体と集団の差異」（『思想』第867号所収）、121－122頁。

（2）自分の特権に気づき、他人の声に耳を傾ける

フェミニズム的男らしさは、「完璧な平等主義者」を理想像として、男性たちの一挙手一投足をあげつらおうとするものではない。フェミニストを目指す人がしばしば、つねに「完璧」であることを求められ、ちょっとでも矛盾したことをするとバッシングされるのは理不尽と言うほかない。[*40] 性差別的な言動や見方を問い直す際に重要なのは、むしろ自分の立場の「特権」に気づくという点にある。

私たちは誰しも、何かしらの特権をもって生きている。先進国に生まれた、国内の人種的マジョリティとして生まれた、健康な体で生まれ育った、虐待のない家庭で育った、異性愛者として生きてきた、高校や大学に行けた、就職できた、世間で評価されやすい容姿をしている、等々。すべての特権を手にしていなくとも、いくつかの特権ならもっているはずだ。男性であることも、こうした特権の一つ、ただし際立った特権の一つをなしている。

男性としての特権に目を向けることは、個々の男性たちが積み重ねてきた努力や、彼らが他の特権（例えば、容姿や金銭面での特権）をもたないがために被ってきた苦しみを否定することではない。ましてや男性としての自分を卑下することなどではない。

自らを「バッド・フェミニスト」と呼ぶロクサーヌ・ゲイは、自分が女性で有色人種、移民の子である一方で、仲の良い両親に恵まれ、博士号を取得し、自分の名前で本を出すという特権を享受していることについて、次のように述べている。

自分の特権に言及するのは、自分がこれまでどうだったたか、いかに周縁化されてきたか、苦しんできたかの否定にはならない。自分の特権を認めたからといって、何かをする「義務」があるというわけではない。そのために謝罪する必要はない。自分の特権がどの程度のものなのか、その特権が何をもたらしているのかを理解し、自分とは違う人々がこの世界を生き、自分が知らない世界を経験していることを意識することが必要だ。[*41]

特権をもつ人は、その特権をもたない人がつねに気にしなくてはならないことを気にする必要がない。それだけでなく、特権をもつ人は、「それは気にしすぎだよ」等と口をはさんで特権をもたない人から見える現実を一方的に否定したり、個人の主観的な見方にすぎないと断定したりできる立場に立っている。

例えば、世間で評価されやすい容姿をもつ人は、自身の容姿に苦しめられてきた人の悩みを「外見を気にしすぎ」等と一蹴して、容姿差別がはびこる現実を否定することができる。したがって、より高い特権をもつ人ほど、他の人たちが直面している現実の複雑さが見えていない可能性が高い。

＊40　ロクサーヌ・ゲイ『バッド・フェミニスト』、野中モモ訳、8–10頁。
＊41　ロクサーヌ・ゲイ『バッド・フェミニスト』、38頁。ゲイについては『図書新聞』3300号・3407号所収の佐藤静の書評を参照。

実際、男性たちは、#MeToo運動をはじめとして、数多くの女性たちから発せられている痛切な訴えに接して、「事実を誇張しすぎ」とか「女性の被害妄想」などと思っていないだろうか。男性たちには、女性たちが抱える困難が些細なもの、あるいは「事を荒立ててまで」対処すべき一大事とは映っていないのではないか。そのように見えるとき男性たちは、自分たちの特権的な立場から、女性たちが生きる現実を「主観的」なものと断定し、自分たちの目に映る現実が「現実の全体」であると早とちりしてしまっている。

女性にだって男性が直面する現実や苦しみはわからないのではないか——そう反論したくなる男性もいるだろう。しかし、男性中心的な社会では、女性たちはしばしば男性目線で世界を眺めることを学んだり、強いられたりしている。[*42] 韓国のフェミニスト、イ・ミンギョンは次のように言う。

男性は女性に説明されない限り、女性がどのような人生を送ることになるのか理解することができません。つまり、男性は女性の目線で社会を見ることができないのです。一方で、男性中心社会で生まれ育った女性は、さまざまな経験をしながら自分に内在された男性の目線をとりはらおうと努力をし、女性としての目線を育んでいきます。男性が権力を持っている社会で生きる女性は、自分の観点を持つようになる前、男性の観点でも世界を見ますが、ほとんどの男性は、男性の観点だけで一生を過ごしても特に不便を感じません。[*43]

女性たちが自らのサポートをなかったかのように振る舞う「二段重ねのお膳立て」をするのも、彼女たちがサポート相手の男性の目線をあらかじめ汲み取り、彼らのプライドを推しはかってあげている（あるいは、推しはかるよう習慣づけられてきた）からだろう。

男性としての特権に気づくなら、男性であるがゆえに直面することを免《まぬか》れている現実の諸側面があり、それらについて知るためには女性の声に耳を傾ける必要があることに気づくはずだ。なるほど、「他人の声に耳を傾ける」ことは、たんに自説を補強したり、多様性に開かれたポーズをとったりするためだけに用いられやすい。その場合、他人の声は、自分の現実の見方におさまる限りで理解され、この見方の変容を迫るものとしては受け止められていない。

女性の声が自分の視野から逃れていく現実を教えてくれるのだとしたら、それは男性が「でも、それは……」などと口を差し挟むことなく、彼女たちの声を自分の声と同等なものというよりも、むしろその特権性ゆえに世間で受け入れられやすい自分の声よりも重いものとして聴くときであろう。そのようにして初めて、私たちは自らの現実から抜け出し、より複雑で繊細な現実に目を向けて、自分の性差別的な見方に気づいたり、それを変えていったた

＊42　デイル・スペンダー『ことばは男が支配する』、155-157頁。
＊43　イ・ミンギョン『私たちにはことばが必要だ』、すんみ・小山内園子訳、67-68頁。

りすることができるようになる。

第1節で述べたように、フェミニズムが男性たちの性差別だけを批判するものではない以上、自分と同じ特権をもたない人々の声に耳を傾けることは、男性的な物の見方を内面化している女性たちや、性差別をする危険性があるすべての人に求められる。けれども、歴史的・社会的により多くの特権をもつ立場にいるのは男性たちであるのだから、自分の特権に気づき、口を挟まずに他人の声に耳を傾けるようなあり方も、まずは男性たちに課されている「フェミニズム的男らしさ」と呼べるであろう。

このようにフェミニズムは、特権的な立場にある自分たちの視野からこぼれ落ちる「現実を見る目」として必要なのだ。フェミニストの詩人アドリエンヌ・リッチ（1929－2012）は、このことをいみじくも次のように語っている。


フェミニズムとは、最終的には、私たちが父への服従を放棄し、彼らのいう世界は全体的世界なのではないのを認識することを意味する。男のイデオロギーは男の主観の創造物であって、客観的でも、価値から自由でも、男女をふくめた「人間的」なものでもない。フェミニズムとは、男のつくったイデオロギーの私たちにとっての不適切さを、その歪みを、十分に認識し、その認識から出発してさらに考え、行動することなのである。[*44]

すでに述べたように、哲学的な思考は、自分自身で考えぬき、自分が「かわる」まで「わかる」ことを目指すという点で、男女平等を「建前」だけのものとせずに性差に関する人々の「本音」を変えていくために必要である。

けれども、自分一人だけで、本当に「わかる」ことはできない。思考している自分自身の立場の特権性に気づき、自分に見えている世界が「全体的世界」ではないことに気づくこと。そして、自分とは同じ特権をもたない他人の声に耳を澄まし、自分の世界の見え方や思考法そのものを変革していくことが本当に「わかる」ために何より重要だ。この意味で、フェミニズムは哲学がどこまで現実に迫れているかを測る試金石をなしているのだ。

＊44 アドリエンヌ・リッチ『嘘、秘密、沈黙。』、大島かおり訳、352頁。

参照資料

〔邦語文献〕

アディーチェ、チママンダ・ンゴズィ『男も女もみんなフェミニストでなきゃ』、くぼたのぞみ訳、河出書房新社、２０１７年
阿部謹也『自分のなかに歴史をよむ』、筑摩書房、２００７年
池田喬「アファーマティブ・アクションの哲学――〈男女協同参画〉の規範的論拠をめぐって」、『理想』第６９５号（特集「男女共同参画」）、２０１５年所収
イ・ミンギョン『私たちにはことばが必要だ――フェミニストは黙らない』、すんみ・小山内園子訳、タバブックス、２０１８年
江原由美子『ジェンダー秩序』、勁草書房、２００１年
小川たまか『「ほとんどない」ことにされている側から見た社会の話を。』、タバブックス、２０１８年
風間孝・河口和也『同性愛と異性愛』、岩波書店、２０１０年
加藤秀一『知らないと恥ずかしいジェンダー入門』、朝日新聞出版、２００６年
ギーザ、レイチェル『ボーイズ――男の子はなぜ「男らしく」育つのか』、富田直子訳、Du Books、２０１９年
金友子「ワキ毛――剃るも剃らぬも私の自由!?」、『オルタ』、アジア太平洋資料センター、２００８年所収
http://www.parc-jp.org/alter/2008/alter_2008_09-10_femme.html
清田隆之（桃山商事）「〝鏡〟の中の俺たち――「女性の目に映る男の姿」をめぐる当事者研究」、『現代思想』（特集『男性学』の現在――〈男〉というジェンダーのゆくえ）、２０１９年2月号所収
ゲイ、ロクサーヌ『バッド・フェミニスト』、野中モモ訳、亜紀書房、２０１７年
小宮友根「フェミニズムの中のトランス排除」、『早稲田文学』、筑摩書房、２０１９年冬号所収
ザイデル、クリスチャン『女装して、一年間暮らしてみました。』、長谷川圭訳、サンマーク出版、２０１５年
佐藤静「フェミニズムはみんなのもの、のその先へ――フェミニズムへのさまざまな偏見をユーモラスに喝破」、

『図書新聞』３３００号、２０１７年所収
佐藤静「『私』――一つの物語に回収できない矛盾した存在」、『図書新聞』３４０７号、２０１９年所収
須長史生『ハゲを生きる――外見と男らしさの社会学』、勁草書房、１９９９年
スペンダー、デイル『ことばは男が支配する――言語と性差』、れいのるず＝秋葉かつえ訳、勁草書房、１９８７年
多賀太『男性のジェンダー形成――〈男らしさ〉の揺らぎのなかで』、東洋館出版社、２００１年
田口茂『現象学という思考――〈自明なもの〉の知へ』、筑摩書房、２０１４年
田中俊之『男がつらいよ――絶望の時代の男性学』、ＫＡＤＯＫＡＷＡ、２０１５年
田中玲『トランスジェンダー・フェミニズム』、インパクト出版会、２００６年
チョ、ナムジュ『82年生まれ、キム・ジヨン』、斎藤真理子訳、筑摩書房、２０１８年
蔦森樹編『はじめて語るメンズリブ批評』、東京書籍、１９９９年
中澤瞳・稲原美苗・川崎唯史・宮原優編『フェミニスト現象学入門――経験から「普通」を問い直す』、ナカニシヤ出版、２０２０年
平山亮『介護する息子たち――男性性の死角とケアのジェンダー分析』、勁草書房、２０１７年
フックス、ベル『フェミニズムはみんなのもの――情熱の政治学』、堀田碧訳、新水社、２００３年
ヘルマン、デボラ『差別はいつ悪質になるのか』、池田喬・堀田義太郎訳、法政大学出版局、２０１８年
ボーヴォワール、シモーヌ・ド『第二の性』第Ⅰ巻「事実と神話」、第Ⅱ巻「体験」下巻、『第二の性』を原文で読み直す会訳、新潮社、２００１年
堀田義太郎「差別の規範理論――差別の悪の根拠に関する検討」、南山大学社会倫理研究所編『社会と倫理』第29号、２０１４年所収
堀田義太郎「性差別の構造について――江原由美子の性支配論をめぐって」、堀江有里・山口真紀・大谷通高編『生存学研究センター報告』第24号「〈抵抗〉としてのフェミニズム」、立命館大学生存学研究センター、２０１６年所収

堀江有里『レズビアン・アイデンティティーズ』、洛北出版、２０１５年
宮原優「月経について語ることの困難――身体についての通念が女性の社会参画にもたらす問題点」、『理想』第６９５号（特集「男女共同参画」）、２０１５年所収
ヤング、アイリス・マリオン「政治体と集団の差異――普遍的シティズンシップの理念に対する批判」、施光恒訳、『思想』８６７号、１９９６年所収
リッチ、アドリエンヌ『嘘、秘密、沈黙。――アドリエンヌ・リッチ女性論１９６６－１９７８』、大島かおり訳、晶文社、１９８９年

〔外国語文献〕

Connell, Robert W., *Masculinities*, Berkeley/Los Angeles: University of California Press, 1995, 2005.

Heinämaa, Sȧra, A Phenomenology of Sexual Difference: Types, Styles and Persons, in: Charlotte Witt (ed.), *Feminist Metaphysics: Explorations in the Ontology of Sex, Gender and the Self*, Dordrecht/London: Springer, 2011.

hooks, bell, *The Will to Change: Men, Masculinity, and Love*, New York: Washington Square Press, 2005.

Seidler, Victor Jeleniewski, Masculinities, Bodies, and Emotional Life, in: *Men and Masculinities* vol. 10, n° 1, 2007.

Young, Iris Marion, Throwing Like a Girl: A Phenomenology of Feminine Body Comportment, Motility, and Spatiality (1980), in: *On Female Body Experience. "Throwing Like a Girl" and Other Essays*, Oxford: Oxford University Press, 2005.

第2章

人種

黒人の肌は
本当に「黒い」のか？

1 黒塗りメイク

2017年12月31日に放映された「絶対に笑ってはいけないアメリカンポリス24時」（日本テレビ）の中で、ダウンタウンの浜田雅功が黒塗りメイクをして、アメリカの俳優エディ・マーフィの物真似をした。黒人に対する人種差別だという非難や抗議が起こる一方で、「日本にはアメリカのような人種差別の歴史がないので、差別にはあたらない」と擁護する人もいた。

2 ハーフへの差別
——ガーナ人の父親をもつ翔さんの事例[*1]

よく昼間に警察に止められたりすることもあって。「きみ、（外国人）登録証見せなさい」って。「は？　そんなの知らない」と思ってさ。「日本人ですよ」みたいな感じで言っても「いやいや登録証がないとだめだよ」って。「しつこいな」と。

ちょうどその時母親が偶然通りかかって、「彼日本人なんで登録証必要ありません」って説明したら一発で納得してくれてさ。俺のときは全く納得してくれなかったのに。

*1　下地ローレンス吉孝「『日本人』とは何か？」、『ニッポン複雑紀行』所収。

3 日本人への人種差別

ほとんど全ての日本人と同じように、私も日本にいる間は自分が黄ばんだ顔の色、掌《てのひら》の色をもった男であるとは特に思ったこともなかった。〔…〕私が日本人を考える時は、常に社会的、政治的、文化的な条件からであり、人種とか、皮膚の色とかについてはほとんど無関心であったのである。白人も黒人も黄色人も本質的には同じ人間であり、その悩みも悦《よろこ》びも根底では共通したものであるという気持が心の底にあったからだ。

私は市電に乗る。私の隣の席が空いている。一人の仏蘭西《フランス》女が私の顔をみとめずに、急いでこの空席に腰かける。突然、彼女は隣の男が黄色人であることに気づく。すると彼女は如何《いか》にも次の停車場で下車するようなふりをして別の空席に移るのである。〔…〕

〔リヨンからヴィエンヌに向かう〕汽車の中で、私の前にこれも休暇をもらったらしい若い二人の兵士が座っていた。彼等は例によって、こちらを時々、盗み見したが、やがて私が寝たふりをしていると小声で話しはじめたのである。「黄色人は黒人のように醜いな」

遠藤周作「有色人種と白色人種[*2]」

＊2　遠藤周作「有色人種と白色人種」（『遠藤周作文学全集』第12巻所収）、209頁、211－212頁。

日本人と人種差別

「日本に人種差別は存在しない」――そう信じている人は少なくない。そうした人は、本書が「人種」に丸々一章を割くことを不思議に思うだろうし、きっと次のように言いたくなるだろう。

事例の【1】は、黒塗りメイクをしたからといって、本人に差別的な意図がなかったのに、欧米の基準を日本に持ち込んで非難するのはおかしいのではないか。

事例【2】では、警察官が外国人を取り締まるために、ある程度、外見から判断して声をかけるのは仕方のないことだし、自然な反応ではないのか。それに、ハーフの人は、現代ではむしろポジティブに評価される人が多いはずだ。モデルにはハーフが多いし、スポーツや芸能で活躍しているハーフの人に偏見をもっている日本人は少ないのではないか。「人種」を持ち出して差別だと騒ぎ立てる方が、かえって差別的なまなざしを助長してしまうのではないか。

こうした反発を念頭において、本章では、次のような問いに向き合ってみたい。私たちは本当に、人を人種によって差別していないのだろうか。白人に対する反応、アジア人に対する反応、黒人に対する反応は、本当に同じ反応なのだろうか。そして、こうした反応は「自然な反応」だと言えるのだろうか。

「自分には人種に対する差別意識や偏見などない」と、かつて私自身も信じていた。けれども、それは自分がしばしば意図せず差別してしまっていることに気づいていないだけだった。そして、自分が差別しているかもしれないことに無自覚なだけでなく、自分も特定の人種として見られ、差別されうることにも無自覚であった。なぜなら、私は日本では人種的マジョリティに属し、人種という枠組みで見られたことがなかったからだ。

遠藤周作が言うように大多数の日本人は、自分の肌の色を気にとめることなく、あたかも肌の色がないかのように生活している。人種差別が報じられたとしても、それは海外で起きたことだったり、テニスプレーヤーの大坂なおみのようないわゆる「ハーフ」の人に対するものだったりして、自分たちとは無縁なこととして語られる。しかし、ひとたび海外（とりわけ非アジア圏）に行けば、事例【3】のように、自分が特定の人種として見られ、傷つけられる経験をし、そのことに愕然とする。

自分たちが特定の人種として見られ、差別されるという事実と向き合うためにも、そもそも人種という枠組みのもとで見たり見られたりすることとは、いかなることなのかを考える必要がある。そして、人種に関する偏見や差別的言動が、あたかも相手の外見に対する「自然な反応」のようにみなされることが多い日本においては、人種や人種差別を他人事として受け止めるのではなく、私たち一人ひとりの奥底に潜む人種差別的な見方に向き合うことが肝要となる。この見方は、他人だけでなく、自分自身も差別視してしまっているかもしれないからだ。

1 人種と人種差別

見える差異と見えない差異

人種差別ということでまず頭に思い浮かべるのは、相手との「見える差異」によって差別するもの[*3]、つまり肌の色等の身体的特徴によって相手を人種として分類し、その分類に基づいて相手を劣った地位に位置づけたり、不利に扱ったりするものだろう。

例えば、黒人だから雇用しないという事例は日本でも頻繁に見られる。また、警察官が人種や肌の色だけを見て職務質問を行っているケースも多数報告されている。[*4]

アメリカでは、武器をもたないのに警察官に射殺された男性の約40％が黒人男性であり、黒人男性の人口全体に占める比率（6％）の7倍近い数字となっている。白人に比べて、黒人、それも典型的な「黒人」とみなされる外見上の特徴（肌の色、鼻の形、唇の形）をもつ人は、死刑宣告やより長期の実刑判決を下される確率が高いという統計もある。

こうした外見上の特徴に基づく差別とは別に、出自や血縁などの「見えない差異」に基づく差別も存在する。被差別部落や在日コリアンの出身であることを理由に差別する例がこれにあたる。例えば、２００９年に発生した京都朝鮮第一初級学校における在特会のヘイトスピーチに対しては、２０１４年に確定判決が下され、賠償命令と街宣活動の禁止命令が出された。

こうした差別の場合、自分の出自などを公にせずに、マジョリティ集団に溶け込むこと（「パッシング」）で、差別を受けないようにするのは可能だ。在日コリアンが日本名（通名）を用いたり、インドのダリット（不可触民）が、ダリットに代表的な苗字を消したり、仏教徒やイスラム教徒に改宗したりするのは、そのためである。しかし、「戸籍・本名・地名・職業といった徴《しるし》が見えない差異を可視化する」危険はつねにつきまとっており、周囲や自分を欺《あざむ》いて生きているのではないかと後ろめたさを感じる人も少なくない。[*5]

一般的には、「見えない差異」に基づく差別は「民族差別」と呼ばれ、「見える差異」に基

＊3　「見える差異」と「見えない差異」については、竹沢泰子「差異と差別の〈不〉可視化をめぐって」、斉藤綾子ほか編『人種神話を解体する』（第１巻）所収、参照。
＊4　下地ローレンス吉孝『「混血」と「日本人」』、３７５頁、３７９－３８０頁。
＊5　竹沢泰子「差異と差別の〈不〉可視化をめぐって」、２５６頁。

づく「人種差別」とは区別される。確かに、当事者からしてみれば、すぐさま差別の対象となる身体上の特徴（肌の色や顔のつくり）をもつか否かは重大な相違をなしている。しかし、差別がいかにしてなされるかという観点から見ると、二つの差別には共通の特徴が見られる。見える差異に基づく差別も、見えない差異に基づく差別も、共に人種的マジョリティとの「人種」上の差異を認めることから生じている——前者の場合、外見から人種上の差異がただちに見てとられ、後者の場合、人種上の差異があるとみなされた後で外見や振舞いの差異が探し出される。

その際、人種的マジョリティは「純血」であること、人種は親から子へと遺伝的に受け継がれるということが想定されている。人種差別について考えるためには、まず、こうした想定の疑わしさや、人種という概念が生じた歴史的背景について知っておく必要がある。

人種という概念の誕生

人種という概念が生じたのは、比較的新しく16世紀から18世紀にかけてのことだ。[*6] 当時、西欧列強が世界中に植民地を建設し、アフリカ奴隷貿易が盛んになるにつれ、非ヨーロッパ人はヨーロッパ人とたんに文化的に異なっているだけでなく、生物学的にも異なっているという考え方が生まれた。

1775年にドイツの人類学者ブルーメンバッハ（1752－1840）が、人類は「コーカソイド、モンゴロイド、エチオピアン、アメリカ・インディアン、マレー人」という五つの変異からなると主張した。ブルーメンバッハ自身は、人種が不変的なものだと考えていたわけではないが、彼の分類は後に、アメリカや中国、日本にも輸入され、人々の人種観に多大な影響を与えることになる。1817年以降、フランスの博物学者キュヴィエ（1769－1832）による「コーカソイド、モンゴロイド、ネグロイド」の三分類が主流となる。

ブルーメンバッハやキュヴィエの分類は、「人類学」や「博物学」という看板を掲げ、一見すると純粋に学問的な関心から芽生えたように見える。けれども、それは同時に、コーカソイド（ヨーロッパ人）が他の人種よりも優れており、文明の担い手であることを示そうとするものでもあった。こうした「学問的」成果は、「万人の平等」を掲げたヨーロッパやアメリカが、「劣った人種」に属する人々を植民地支配したり、奴隷にしたりすることを正当化する役割を果たした。

キュヴィエの三分類を、肌の色と関連づけて「白人、黄色人、黒人」として提示し直したのがフランスの作家ゴビノー（1816－82）である。彼は『人種不平等論』（1853－55

＊6　人種概念の歴史的背景については、中條献『歴史のなかの人種』、第2章を参照。

年）において、人種間の混血によって文明が退化すると主張し、白人至上主義を唱えた。こうした考えは後に、アーリア人至上主義をとるヒトラーとナチズムに受け継がれることになる。

人種は科学的に存在するのか？

以上のような人種分類は、その差別的な背景ゆえに、現代で用いられることは少なくなっている。とはいえ、今でも、人類をアフリカ系、ヨーロッパ系、アジア系、アメリカ・インディアン系等の「人種」によって分類できると考えている人は少なくないのではなかろうか。アフリカ系やヨーロッパ系の人々と自分たちの身体上の違いは、遺伝子の違いによって生じており、自分たちはアジア系の遺伝子、さらには日本人の遺伝子をもっているのだ、と。

こうした考えは、科学的には否定されている。[*7]

そもそも肌の色の濃淡には、人種の違いに対応するような、はっきりとした境目はない。人類の地理的起源の証拠を与えてくれるミトコンドリアDNAの変異も、人種に結びつけられる身体的特徴に対応するものではない。また、親から子に伝達される遺伝子が関わるのは、極めて特殊な身体的特徴であり、ある人種に属するすべての人がもっているような特徴ではない。

一般に人種的特徴とみなされる肌の色や顔のつくり等は、祖先が住んできた環境の違いによって生じてきたものだと言われている。肌の色は、皮膚細胞内のメラニンの量によって決定される。メラニンは肌を紫外線から保護する機能をもち、日射量が多い環境で生きた祖先をもつ人々は、日射量が少ない環境で生きた祖先をもつ人々よりも濃い肌色をしている。また、気温が低く乾燥した地域では長い鼻が、気温と湿度が高い地域では短い鼻が発達したと言われている。

こうした相関関係からわかるのは、肌の色や顔のつくりといった身体的特徴が、人種に関わるような遺伝子によって生じているわけではなく、似たような環境に住んできた人々が似たような適応を示した結果生じたものだということだ。

例えば、濃い肌色をつくりだすメラニンはアフリカに住む人々だけでなく、南アジアやフィジーに住む人々、オーストラリアのアボリジニの皮膚にも多く含まれている。アジア人に結びつけられる「蒙古ひだ」は、厳しい日光や寒さから目を保護するために発達したとされるが、北ヨーロッパや北極圏などに住む人々にも共通して見られる。こうした共通の身体的特徴をもっていても、集団遺伝学的には互いに距離がある。

そもそも黒人、白人、黄色人とみなされている集団の間の遺伝子の差はたったの0・

＊7　人種に関する科学的議論については、ベルトラン・ジョルダン『人種は存在しない』を参照。

0.12%であるのに対して、同人種内の遺伝子の差は2%もあり、人種間の差よりも、同人種内の差の方が大きい。例えば、「アフリカ人」と一括りにされる人々のなかの集団の多様性は極めて高く、その間の差は「アフリカ人」と「ヨーロッパ人」の差や、「ヨーロッパ人」と「アジア人」の差よりも大きい。

それゆえ、人種の分類はあくまで歴史的・文化的・社会的につくりあげられてきた「神話」にすぎず、それを支える科学的な根拠は存在しない。人種を遺伝的特質と結びつけたり、さらには知能や運動能力と結びつけたりするようなことは、過度な一般化や疑わしい関連づけをしない限りはできないのだ。

アメリカの作家タナハシ・コーツが言うように、「人種は人種差別の子どもであって、その父親ではない」[*8]。つまり、物理的に存在する人種の違いが人種差別を生み出してきたのではなく、人種差別を正当化するために人種は捏造《ねつぞう》されてきたのだ。

2 人種という経験

人種として見るとはどういうことか？

このように人種という概念は科学的に見て誤ったものであり、そのことを教育などによって周知していくことは大切だ。けれども、人種などというものはそもそも存在しないのだと皆が知れば、それで問題は解決するのだろうか。

本書を読んでいるあなたが、仮に人種は神話にすぎないということを受け入れたとしても、明日以降「白人」や「黒人」として人を見なくなったりするだろうか。それは、人を「女性」や「男性」として見なくなるのと同じくらい困難だと思われる。

私たちは、性差と同様に人種も、「白人」や「黒人」といった類型（社会的・文化的に形づくられた典型的なあり方）のもとで見て取る。つまり、個々人の個別的な特徴に目を向けて推論したりする前に、人種に結びつけられる相手の特徴を「一目見て」、相手を何らかの人

＊8　タナハシ・コーツ『世界と僕のあいだに』、池田年穂訳、10頁。

種に振り分けてしまう。こうした振り分けと同時に、人種に対する偏ったステレオタイプが働いている可能性がある。

黒人奴隷の祖先をもつフランスの哲学者フランツ・ファノン（1925－61）は、半世紀以上前に書かれた著作で、「黒人」に紐づけられるステレオタイプとして「生物的、セックス、強い、スポーツマン、精力的、ボクサー、ジョー・ルイス〔アメリカのプロボクサー〕、ジェス・オーエン〔100m走のオリンピック優勝者〕、セネガル歩兵隊、未開人、動物、悪魔、罪」を挙げている。[*9] ここまで露骨ではなくなってきているとはいえ、現代でも似たようなステレオタイプは残り続け、それに則った黒人の描かれ方がマスメディア等によって繰り返されている。[*10]

例えば、ウサイン・ボルトやセレーナ・ウィリアムズといったアスリートに対しては、彼らの知性的・技術的な側面よりもその「天性の」運動能力ばかりが過度に強調され、「野性的」という形容がされることすらある。また、マイケル・ジャクソンやビヨンセのような卓越したミュージシャンを例に挙げて、黒人に「生まれつきの」歌手・ダンサーというイメージを植えつける人も少なくない。

さらに、「知性的」で「紳士的」な白人と対比する形で「コミカル」で「粗野な」人として黒人を描く傾向も根強い。日本では、タレントのボビー・オロゴンがまさにそのような売り出され方をしたわけだが、彼がナイジェリアの国立大学を卒業し、英語とヨルバ語と流暢な日本語を操り、株や為替の取引を趣味としていることはあまり知られていない。

このように相手を特定の人種に分類し、社会的な意味づけを与えるはたらきを「人種化」(racialization)と呼ぶが、こうした振舞いは、私たちが意図して、自覚的に行っているわけではない。人種のステレオタイプは、それを通して相手を見ている人にとっては、「自然に」現れてくるように感じられる。それはなぜだろうか。

人種化する知覚の特徴——受容性の制限と人種の自然化

そもそも私たちは、生まれたときから「物が見える」わけではなく、学習や経験を通じて、物との適切な距離のとり方、特徴の捉え方、他の物との見分け方等を徐々に学んでいく。例えば、生まれたばかりの赤ん坊は、コップをコップとして見ているわけではないが、学習や経験を積み重ねることで見方の習慣が徐々に身についていき、いつしか物を瞬時に見分けることが可能となる。

＊9　フランツ・ファノン『黒い皮膚、白い仮面』、107頁。
＊10　CMやアート作品等で黒人の身体がポジティブに描かれる場面が増えてきたとはいえ、それらが既存の黒人イメージを変えることなく、商品や見世物として消費される危険性をフックスは指摘している（ベル・フックス「黒人男性の身体を表象する」、『アート・オン・マイ・マインド』所収）。

相手を特定の人種として見る「人種化する知覚」もまた、家庭や学校、マスメディアを通じた学習によって知らぬ間に習慣化された見方の一つだ。けれども、人種化する知覚と、通常の知覚には決定的な違いが存在する。[*11] ある人を人種という枠組みで見ると、人種のステレオタイプに沿うような特徴ばかりが目につくようになり、なおかつそうした特徴が相手の身体に備わるものであるかのように現れる。次のような例を考えてみよう。[*12]

正装した黒人男性が白人女性の乗ったエレベーターに乗り合わせた。彼を見た彼女は不安になり、緊張して心拍が速くなり、ハンドバッグを引き寄せて抱きしめた。彼女にはエレベーターのなかの時間が永遠のように感じられた。

正装しているのであれば、それなりの地位や教養をもった紳士である可能性が高いにもかかわらず、女性はなぜ男性を恐れたのだろうか。正装した白人男性に対しても同じような反応をしただろうか。

いずれにせよ、彼女がその黒人男性に恐怖を感じ、不安や緊張を覚えていたことは否定できない。恐怖というのは、ある意味「自然な」感情のように思える。このとき、彼女の知覚には何が起きていたのだろうか。

通常、見慣れない物や人を見る場合、最初は特徴を捉えるのに苦労するが、徐々に慣れて細かな特徴にも目が向くようになる。というのも、見るという行為は、見る人が一方的に対象を観察するわけではなく、見られる対象の方からも様々なリアクションがあり、その影響を受けて見方も変容しうるからだ。そのため、通常の知覚には、対象の側からの影響を受容して、見方の習慣が更新されたり、変容したりする可能性がつねに残されている。

これに対して、人種化する知覚の場合、相手の人種的な特徴以外に注意が向いていくことがなく、自らの習慣的な見方とは異なる見方の可能性が塞がれてしまう。そこでは、見方の習慣が固定化され、見られる人はその習慣に沿った形でしか現れてこない。

例えば、黒人を危険で粗暴な人として見ることが習慣化された人には、どんなに相手の身なりや振舞いがそうしたイメージに反するものだったとしても、「それ以外の仕方で見る」ことができない。このようにして、通常の知覚に備わる受容性が制限され、人種のもとでステレオタイプ化された身体だけを見て、その人個人の生きている身体を見ることができない点で、人種化する知覚は通常の知覚以下のものなのだ。

他方、人種化する知覚は、通常の知覚には含まれない機能をもつ。相手を特定の人種とし

＊11 以下の議論は、次の論文に依拠している。Alia Al-Saji, A Phenomenology of Hesitation, in: E. Lee (ed.), *Living Alterities*.

＊12 Cf. George Yancy, *Black Bodies, White Gazes*, p. 21. これは、アフリカン・アメリカンの哲学者ヤンシー自身が体験した例である。

て見るとき、そのように見える原因が相手の身体にあると想定し、人種の知覚を客観的な事実に対する「自然な」反応だとみなすのだ。

通常、私たちは、たんに物の物理的特徴だけを見ているわけではなく、それが位置する歴史的・文化的な背景と一緒に物を見ている。例えば、万里の長城を見る場合、たんなる石の集積としてではなく、長い歳月をかけて築かれ、中国の文明を象徴する歴史的・文化的な建造物として見るはずだ。

これに対して、人種化する知覚の場合、人種という概念が生まれ、機能している歴史的・文化的背景――白人たちによる植民地支配や人種差別の歴史、現代でも根強く続く白人を優位に置く文化――から切り離して、相手を人種として見てしまう。

例えば、黒人の物真似をするために黒塗りをしたことを非難されて、「だって黒人の肌は黒いでしょ」と答える場合を考えてみよう。

「白人」の肌の色が「白色」とは程遠いのと同様に、「黒人」の肌の色は、実際には多種多様であり、どちらかというと茶色に近く、黒色とはかけ離れている。にもかかわらず、私たちが一人ひとりのルーツの違いや実際の肌の色に頓着せずに、彼らを押しなべて「黒人」と呼んでしまえるのは、先に見たような人種概念の歴史やそれをある程度維持し続けている文化的背景があるからだ。

私たちはそうした歴史的・文化的背景から目を逸らし、「肌の色が黒いから黒人なのだ」

という形で、相手の身体に生まれつき存在する特徴として人種を「自然化」する。そうすることで、私たちは人種の知覚やそれに基づく振舞い（黒塗りをすること）が相手の客観的な特徴（肌の色）に対する「自然な」反応だとみなして、それを正当化するのだ。

このように、人種化する知覚は、（1）知覚の受容性を制限すると共に、（2）人種を自然化して自己正当化するという特性をもつ。

黒塗りメイクは、「黒人」と一括りにすることで一人ひとりの差異や個性から目を塞ぎ、「黒人」という人種を彼らの自然的な特徴とみなして、日本における黒塗りメイクの人種差別的な歴史を見えなくさせてしまう。[*13] この点で、黒塗りメイクをした人に悪意があったかどうかとは関係なく、それは差別的な行為となってしまうのだ。

日本における人種差別――「ハーフ」の差別経験をもとに

以上のような議論に対して、欧米の基準を日本にもち込んでいると感じる人もいるかもしれない。実際、人種化とは、ジム・クロウ法のもと、有色人種の隔離政策が1964年ま

＊13　日本における黒塗りメイクの起源と問題性については、バイエ・マクニール「黒塗りメイクは世界では人種差別行為だ」（『東洋経済オンライン』、2018年1月17日）参照。

で合法化されてきたアメリカや様々な人種集団が共に暮らすヨーロッパなどで議論されてきた。一見すると、日本には欧米のような人種的な多様性も、白人を頂点とする人種集団間のヒエラルキーも存在しないように思われる。

しかし、よく見てみると、日本国内でも様々な人種に帰属させられる人々が生きてきたし、そうした人々の人種化が至るところで生じている。このことを、「ハーフ」と呼ばれる人々を例として考えてみたい。

一般に、「ハーフ」という呼称は、両親のどちらかが日本以外の国の出身である人を指す言葉として用いられる。[*14]

ところが、「ハーフ」というと、両親のどちらかが白人系で、「日本人離れ」した容貌（目鼻立ち、スタイル、肌の色など）をした人というイメージが根強い。こうしたいわゆる「白人ハーフ」の人々は、見た目の違いやステレオタイプに基づく差別の対象となる一方で、根拠のない肯定的な評価を受けることもある。逆に「黒人ハーフ」は、「ハーフ」よりもむしろただ「黒人」として見られ、黒人のステレオタイプのもとで否定的な評価を受けることがある。

これに対して、国際結婚の大多数を占める東アジア地域出身の親をもつ子どもが「ハーフ」とみなされることは稀である。彼らのほとんどは外見だけからは「ハーフ」とは判別できないが、親や出自を知られた後で、外見や振舞いの違いを探られる。例えば、中国人とのハーフとわかった後で、その人の外見や振舞いが「中国人的」とみなされたりする。

こうした人種化を被る人たちは、どのような経験をしているのだろうか。ここでは、社会学者の下地ローレンス吉孝によるインタビュー集に収録された「ハーフ」の人々（とりわけ、外見の違いから差別される人々）の経験を[*15]、日本の人種的マジョリティが自覚なく享受している特権と対比する形で考えていきたい。

（1）多くのハーフは、幼少期から様々な差別や差別的言動に直面することがある。例えば、小学校低学年かそれ以前から、外見だけで周囲から浮いてしまい、周囲に溶け込めないという経験をしやすい。

学校で外見をからかわれたり、「ガイジン」と呼ばれたり、道や電車でじろじろと見られたりすることで、「みんなと違う」「仲間はずれ」という気持ちを抱かされ、周囲に馴染めない。大人になっても、仕事場で毎日のように「日本語お上手ですね」「英語しゃべれるの？」と言われ、「あなたは日本人ではない」というメッセージを受け続けることがある。

＊14　戦後から現代にいたるハーフの捉え方の変遷については、下地ローレンス吉孝『「混血」と「日本人」』、第一部参照。

＊15　下地ローレンス吉孝「「日本人」とは何か？」（『ニッポン複雑紀行』所収）。日本に住む様々な「ハーフ」の経験については、下地ローレンス吉孝、下地セシリア久子、ケイン樹里安が主催するウェブサイト「ＨＡＦＵ　ＴＡＬＫ」を参照。

日本における人種的マジョリティは、日常生活のなかで周囲に溶け込めることの重要性には気づきにくい。周囲に溶け込み集団の一部となることで、私たちは安心感を得られたり、必要のないストレスを感じずにすんだりする。逆に、外見によって周囲から浮いたり、集団からのけ者にされてしまったりすると、孤立感、疎外感、居心地の悪さを感じ、周囲の視線に晒《さら》され続けて、気を抜くことができないというストレスを感じることになる。

（2）ハーフの人々は、たんに好奇の目に晒されるだけでなく、見える差異に基づいて人種的マジョリティとは異なる対応をされることがある。

例えば、本章の冒頭で触れたガーナ人の父親をもつ翔さんは、昼間に警察に呼び止められて外国人登録証を求められ、自分が日本人だと言っても聞く耳をもたれないのに、日本人の母親が警察に説明すると「一発で納得」された。ボリビアにルーツをもつセシリア久子さんは、店やデパートで家族や自分が万引きをするのではないかと警戒され、店員からマークされた。こうした例では、ただ外見から「潜在的な犯罪者」として扱われている。これは人種的マジョリティが（怪しい行動をしない限りは）警察や店員から「人」として尊重されるのとは対照的である。

（3）ハーフの人々の行為やあり方をもっぱら人種と関連づけることも、彼らを「人」として尊重しない仕方の一つである。

インド人の父親をもつ、ゆうアニースさんは、学校でうまくいかなかったりミスしたりするたびごとに、「外国人だから」「インド人だから」と言われた。セシリア久子さんも、何かにつけて「外国」と結びつけられ、「〔早めに〕生理が来たときも先生とか友達から『外国の血が入っているからだね』って言われた」という。

こうした傾向は、人種的マイノリティの人々の成功を「人種のおかげ」とし、彼らの失敗を「人種のせい」だとするような言説のなかに典型的な形で見られる。例えば、黒人ハーフの大坂なおみや八村塁に対して、しばしばその「驚異的な身体能力」が過度に強調され、技術面や精神面の長所や成長が語られることは少ない。

テニスについて無知なコメンテーターが、大坂なおみの技術面での成長には見向きもせずに、彼女を全米・全豪オープンの連続優勝に「導いた」とされる白人コーチの解任に苦言を呈するのはなぜだろうか――ここには「寛容で理解ある」白人指導者が、「優れた身体能力をもちながら、それを生かしきれない」黒人選手を「教え導く」、というステレオタイプに満ちた物語が透けて見える。このように相手の成功や失敗を人種に帰すことは、相手の努力や成長可能性を否定することに等しいのだ。

(4)周囲に溶け込めず、外見だけで判断され、自分の行為や価値を人種に帰されることで、ハーフの人々は自分の外見や存在に対して自尊心をもちにくい状態に置かれることがある。

翔さんは、幼少期から続く肌の色に対するからかいやいじめに「慣れ」てしまい、いじめられてもやり返さなかった理由を「プライドがなかった」と述べている。駐留米軍の父親をもつレジーナさんは、子どもの頃から肌の色のことを言われ続けたために、「極端に言ったら漂白じゃないけど、色を白くしたいって思って」いた時期もあるほど、「常にコンプレックスの塊というのが正直なところ」と述べている。

人種的マジョリティは、自国で、特定の人種として見られたり判断されたり、自分の行為やあり方を人種に帰されたりすることがないため、人種という側面からあるがままの自分を認めてもらえないということはない。ハーフの人々は、人種化されることで、自尊心を育むために重要な「あるがままの自分を認めてもらう」という機会を制限されたり失ったりしやすい。このようにして自尊心を傷つけられたり、もてなくされたりすることこそ、人種化や人種に関する差別的言動が引き起こす極めて深刻な危害の一つだと考えられる。[*16]

ハーフをめぐる以上のような現状は、日本における人種の問題を考えるうえで見過ごされてはならない点を示唆している。

第一に、日本の人種的マジョリティは、「純血」で混じりけのない「日本人」だということが想定されたうえで、ハーフの人々の人種化が行われている。

元来、「半分」しか日本人の血をもたないこと（half-blood）を意味する「ハーフ」という呼称については、以前からその問題性が指摘され、よりポジティブな意味をもつ「ダブル」（二つのルーツをもつ）や「ミックスレイス」（混ざり合った人種）という呼称を用いる人もいる。けれども、そうした表現においても、「純粋な日本人の血」と「外国人の血」の混合という構図は維持されている。

日本人の大多数が確たる根拠があるわけでもないのに自身の「純血性」を自明なものとみなし、そうした純血性との差異でもって相手を差別しようとする。この点は、形は違えど、被差別部落、在日コリアン、アイヌに対するいわゆる民族差別の場合にも共通して見られる。このような純血性に対する「信仰」こそが、日本における人種差別の根っこの一つとなっているのではないか。

第二に、ハーフは押しなべて、たんに「純血」に対する「混血」として見られているわけでもない。「白人ハーフ」「中南米系ハーフ」「アジア系ハーフ」「黒人ハーフ」は明らかに異なる仕方で知覚され、評価されている。そこには白人を頂点に据える人種のヒエラルキー関係が捩《ねじ》れた仕方で反映されている。

なぜ白人ではない「日本人」——日本の人種的マジョリティ——が、ある種の白人優越主義（white supremacy）を抱いて、国内の人種的マイノリティを差別してしまうのだろうか。そして、そのとき、「日本人」は自分自身にどのような「人種的まなざし」を向けているのだろうか。

＊16　こうした現実に対して、ハーフの人々は単に受動的な立場に置かれ続けてきたわけではない。彼らのなかには、それを笑い飛ばすことで受け流すという技芸を磨き、不利な状況を「生きうるもの」にかえようとする人もいる（ケイン樹里安「『ハーフ』にふれる」、ケイン樹里安ほか編著『ふれる社会学』所収、98頁）。

3 「黄色人種」としての日本人

「黄色人種」の自認

大多数の日本人は、国内では人種的マジョリティではあるが、海外にいくとたちまち人種的マイノリティとして扱われることがある。

歴史的には、近代以降、日本の欧米列強に対する劣等感はしばしば白人に対する人種的劣等感として表出し、白人の人種的なまなざしを内面化する傾向があった。そうした傾向から自由になったとは言いきれない、今日の日本の人種的マジョリティの人種観や人種経験を、「黄色人種」の人種経験という観点から考えてみたい。

本書ではあえて「黄色人種」という表現を用いる。[*17]「黄色人種」なるものの科学的根拠が存在しないことは明白であり、そのためこの語を用いることは誤解を招いたり、差別的だとみなされたりしかねない。

けれども、20世紀に多くの日本人がこうした分類を受け入れ、自らを「黄色人種」だとみなしたことは、今日の日本における人種的マジョリティの自己認識にも影響を及ぼし続けている。

　人々が他人を人種として見る経験と彼ら自身が人種として見られる経験の関係を批判的に検討するために、「黄色人種」がどのようなものとして捉えられ、日本人が自らを「黄色人種」として位置づけることが、自らの人種経験においていかなる役割を果たしているかを考えていきたい。

黄色人種への差別

「黄色人種」という概念は、すでに触れたように、白人至上主義を唱えるゴビノーが人種と肌の色を関連づけたことによって生じたものだ。この概念は、白人を頂点に据える人種観と共に、明治維新前後に日本に輸入された。

日本では、19世紀中頃から「人種」という語が一般化され使用されるが、なかでも福澤諭

＊17　「黄色人種」以外には、「モンゴロイド」「アジア人」、といった枠組みで考えることもできるかもしれない。しかし「モンゴロイド」や「アジア人」の分類にも科学的根拠がない。「モンゴロイド」は、（とりわけ日本人研究者の間で）人類学用語として便宜的に用いられることもあるが、その背景にある、ヨーロッパ人を「コーカソイド」と呼称し中心に据えるユダヤ＝キリスト教的世界観や、「蒙古ひだ」に象徴される東アジア人に対する差別的見方を隠蔽する危険性がある。竹沢泰子「人種概念の包括的理解に向けて」（竹沢泰子編『人種概念の普遍性を問う』所収）、54－57頁。

吉（1835－1901）が『掌中万国一覧』（1869年）で肌の色と地域を相関的に捉え、「白色＝ヨーロッパ」「黄色＝アジア」「赤色＝アメリカ」「黒色＝アフリカ」「茶色＝諸島」という形で人種を分類した影響が大きいと言われている。[*18]

福澤は、「白色」を「容貌骨格すべて美なり。その清心は聡明にして、文明の極度に達すべきの性あり。これを人種の最とす」とする一方で、「黄色」を「鼻短く、眼細く、かつその外皆斜めに上がれり。その性情よく難苦に堪え、勉励事をなすといえども、その才力狭くして、事物の進歩はなはだ遅し」としている。

当時、日本が欧米列強に様々な面で遅れをとっているという自意識が、日本人が人種という点で西洋人に劣っているという、白人中心的な人種観を受け入れやすくしたと考えられる。その一方で、福澤は「黒色」を「鼻平たく、眼大にして突出し、その身体強壮にして活発に事をなすといえども、性質懶惰《らんだ》にして開花進歩の味を知らず」とし、「黄色」よりもさらに劣等なものとして位置づけている。ここには、自分たちを白人と黒人の中間として位置づけ、「優良な人種」である白人を目指そうとする目論見が透けて見える。

こうした傾向は、欧米に留学した日本のエリート層たちが、現地で様々な人種差別を体験することで拍車がかかる。近代日本の人種体験を研究する眞嶋亜有《あゆ》が詳細に論じているように、彼らの一部は、中国人と取り違えられて受けた差別のために、中国人をそれまで以上に蔑視するようになり、日本人を黄色人種のなかでも最も西洋化された優良人種であるとみなして「脱亜入欧」を推し進めようとした。[*19]

当時の欧米で、中国人への差別が日常化していた背景には、19世紀にアメリカが大陸横断鉄道建設のために安価な労働力として大量に招き入れた中国系労働者が、鉄道完成後に不要とされ、アイルランド系移民の労働市場（非熟練労働・清掃・土木作業）に進出したことがある。もともと白人のなかで差別視されていたアイルランド系移民は、怒りの矛先を中国系移民に向け、排華運動を起こし、これがアジア人に対する人種差別的な見方を強めた。

その際、アジアに住む多様な特徴をもつ人々は、細い目、黄色い肌、低身長といった単一的な特徴のもとで「黄色人種」と一括りにされ、そうした特徴が「自然化」された。例えば、アジア系の身体的特徴とされた一重まぶたは、欧米では「堕落」した者の象徴として描かれ、ダウン症の症状を示す特徴と関連づけられた。そのため、ダウン症はアジア系の人種を表す「モンゴロイド」にちなんで「蒙古症」と呼ばれた。

現代でも、大リーグのダルビッシュ有に対して「吊り目」のジェスチャーをした行為が人種差別として非難されたように、アジア系の身体的特徴についてのステレオタイプやそれへの差別的なまなざしは残り続けている。

＊18　山室信一『思想課題としてのアジア』、56頁。
＊19　眞嶋亜有『「肌色」の憂鬱』、第1章、とりわけ47－49頁参照。

アジア系のステレオタイプは、身体面に限られず、性格面でも、「消極的」「個性がない」「社交性がない」といったネガティブなものから、「勤勉で寡黙《かもく》で従順」といった一見するとポジティブに見えるものも存在する。ただし、ポジティブに見えるステレオタイプも、しばしば「ただがむしゃらに勉強し、文句も言わず、上からの命令に従うだけ」といった見下しと表裏一体をなしている。[*20]

日本の人種的マジョリティの人種経験

「黄色人種」とみなされるような日本の人種的マジョリティは、海外でどのような経験をするのか。外国で黄色人種として見られ、差別されることは、自国で人種的マイノリティが被る差別経験といかなる点で異なるのか。そして、日本の人種的マジョリティが自らの人種について抱く意識は、彼らの人種差別的な見方といかなる関係にあるのか。以下では、このことを考えていきたい。

黄色人種の人種経験を検討するために、格好の素材と洞察を与えてくれるのは、遠藤周作（1923－96）の評論「有色人種と白色人種」（1956年）と彼の自伝的小説『留学』（1965年）だ。遠藤は『沈黙』（1966年）に代表される日本人とキリスト教の関係を主題にした作品で有名だが、第二次大戦後まもなく27歳から2年半ほどフランスに留学し、その間に体験した自身の人種経験に基づいた小説やエッセイを多数発表している。
半世紀以上前の遠藤の経験から、現代の私たちの経験を考察するのは難しいのではないか、と思う人もいるだろう。しかし、彼の経験は、私たちが今でも海外で味わう経験と共通する要素を含み、彼の洞察は私たちが目を逸らしてしまいがちな問題を突きつけてくる。この点で、私の知る限り、遠藤ほど黄色人種の人種経験と人種意識に向き合い、それに肉薄しようとした日本の作家はいない。

（1）健忘症

日本の人種的マジョリティの人種経験に顕著な第一の特徴は、自分の肌の色と人種経験を忘れようとする「健忘症」とでも呼べるものだ。遠藤は、フランスで人種差別的な扱いを受けた日本の大学人に次のように語らせている。

帰国した彼等〔大学人〕の大学での自慢話や研究会での報告には決してこんな屈辱感やみじめな体験談は語られなかった。彼等は日本で文化人として扱われたように、向うでも

＊20　アジア系アメリカ人が文句を言わない従順な「模範的マイノリティ」とみなされる弊害については、村上由見子『アジア系アメリカ人』、73－78頁参照。

文化人として遇されていたような話しぶりだった。日本でインテリとみなされている尊敬を、最初の巴里《パリ》到着の日から当然のものとして受けていたような話だった。[*21]

遠藤によれば、フランスに留学した日本人のほとんどが「中国人」や「汚い黄色人」と呼ばれたり、列車やレストランで避けられたり、じろじろ見られたりといった差別的な経験をしていた。ところが、彼らはそうした経験について決して語り合おうとはしなかった。なぜなら、彼らには帰るべき母国があり、白人が人種的マジョリティを占める「白人世界」の現実から「逃避する」ことができたからだ。これは、生涯人種的マイノリティとして生きていかねばならない欧米在住の黒人たちとは対照的な点であった。[*22]

では、日本に帰ってきても、白人世界で被った差別的な経験について日本人が語ることが少ないのはなぜだろうか。

自分が差別された経験を語るのは、屈辱感や恥の感情を思い出させるからということもあるだろう。もう一方で、白人世界で高く評価された人が優越視されやすい日本のコミュニティにおいては、自分が差別された経験を語ることは自らを劣った者として位置づけてしまうという事情がある。

だからこそ彼らは、欧米で人種として見られたり差別的に扱われたりしても、それが自分の肌の色や人種に対する反応であるという事実を忘れることで、そうした状況をやり過ごそうとする。人種として見られたり差別されたりすることをやり過ごし、忘れようとするという習慣は、長期にわたって白人世界に住んだことがある多くの日本人に共通して見られる。
確かに、現代では日本人に対する露骨な差別は減少傾向にある。けれども、日本人に対する様々なステレオタイプ——「英語がしゃべれない」「社交的でない」「お辞儀ばかりしている」「ヘラヘラして裏では何を考えているかわからない」——は根強く存在する。[*23]
私自身、海外での学会やフランス留学時に、こうしたステレオタイプを通して見られていると感じた経験がある。若いときは、普段以上に話したり社交的に振る舞ったりして、こうしたステレオタイプに抗《あらが》おうとしていたが、時が経つにつれ、ステレオタイプに従ったり場をやり過ごした方が楽だと感じるようになってしまった。
やり過ごし、忘れた方が楽に感じられるのは、人種として見られることに特有の拘束に起因する。前節で見たように、人種として見られることは、人種としてのみ評価されることを含意し、人種として見られた人は自分自身を表現する機会を著しく制限される。そのため、ステレオタイプに抗おうとしても、この抵抗自体がステレオタイプとの対比のなかで理解さ

＊21　遠藤周作『留学』、72頁。
＊22　遠藤周作「有色人種と白色人種」（『遠藤周作文学全集』第12巻所収）、213－214頁。
＊23　映画『モネ・ゲーム』（マイケル・ホフマン監督、2012年）には、こうした日本人のステレオタイプが戯画化されて描かれている。

れてしまう。

例えば、私が海外で積極的に話すと「日本人にしては珍しくよくしゃべるね」と「褒められ」たりする。その場合、私の行為は、あくまで「寡黙な日本人」というステレオタイプの枠内で理解され、その例外として位置づけられるにすぎない。逆に、ステレオタイプに沿った形で行動する範囲では、一定の評価を受けるため、自分に割り当てられた役割をこなすことで居心地よく感じることができる。

（2）内面化された白人のまなざし

しかし、私たちが日本にいてもなお、白人優越主義に縛られてしまうのは、なぜなのか。背景に、人種という概念がそもそも白人優越主義を含むものとして日本に輸入され、浸透してしまった経緯があることは疑いようがない。

白人を中心とする人種観がいつ頃から日本で支配的となり、どの程度まで現代でも残っているのか（ひょっとするとある面では強化されているのか）については、より広範かつ詳細な調査や検討が必要であろう。しかし、遅くとも20世紀初頭には、こうした人種観は日本のエリート層に内面化され、人口にもある程度膾炙《かいしゃ》していたと考えられる。例えば、夏目漱石（1867－1916）の『三四郎』（1908年）には、次のような描写が見られる。

窓から見ると、西洋人が四五人列車の前を往《い》ったり来たりしている。そのうちの一組は夫婦と見えて、暑いのに手を組み合せている。女は上下とも真白な着物で、大変美しい。〔…〕三四郎は一生懸命に見惚れていた。これでは威張るのも尤《もっと》もだと思った。自分が西洋へ行って、こんな人の中に這入ったら定めし肩身の狭い事だろうとまで考えた。〔…〕するとと髭の男は、「御互は憐れだなぁ」と云い出した。「こんな顔をして、こんなに弱っていては、いくら日露戦争に勝って、一等国になっても駄目ですね〔…〕」。*24

三四郎たちは、白人の体が「美し」く見える一方、自分たちの体が「憐れ」に見えるほど、白人優越主義を内面化させてしまっている。ここには、1900年から2年間イギリスに留学した際に、自分の低身長と「黄色い」肌に劣等感を抱いた夏目漱石自身の経験が色濃く反映されているということもあろう。*25

遠藤周作は、こうした人種的な劣等感によって「有色人種」の人々が、人種的なステレオタイプによって期待されているように振る舞うか、白人であるかのように振る舞うかという

*24 夏目漱石『三四郎』、新潮文庫、19－20頁。

*25 「我々黄色人――黄色人とは甘くつけたものだ。全く黄色い。日本に居る時は余り白い方ではないが先づ一通りの人間色といふ色に近いと心得て居たが、此国では遂に人-間-を-去-る-三-舎-色と言はざるを得ないと悟った」（夏目漱石「倫敦消息」（『漱石文明論集』所収）、282頁。眞嶋亜有『「肌色」の憂鬱』、第2章参照。

二者択一、要するに従属か同化かという二者択一を迫られるとしている。[*26] 例えば、黒人のなかにも、白人女性を喜ばせるために「おどけた唄」を歌ったり子どもっぽい失敗ばかりしたりする者もいれば、[*27] そうした人と一緒にされないために白人と高尚な議論をすることを好む者もいた。

現代でも、海外で発表する日本人研究者のなかには、「日本人研究者」への暗黙の期待を汲み取って「東洋的な」主題をあえて選んで発表をする人がいる一方で、端的に「研究者」として見てもらいたいがために、微に入り細を穿《うが》つような歴史的・文献学的な議論を好む人もいる。

ファノンは、『黒い皮膚・白い仮面』（1952年）のなかで、白人世界が「有色人種」の人々を白人のまなざしに対して「過敏」にしてしまい、彼らが自ら進んで白人たちのステレオタイプ的な期待に応えようとしたり、白人のまなざしによって自らを評価したりすると主張している。[*28]

ファノンによれば、白人に実際に見られている必要はない。大抵の場合、教育やマスメディアを通じて白人優越主義は有色人種の人々に内面化されているため、彼らはあたかもつねに白人のまなざしによって見られ評価されているように感じてしまう。日本人が、日本国内でも白人優越主義に縛られるのも、こうした内面化のためであると考えられる。

では、とりわけ黄色人種による白人のまなざしの内面化には、どのような特徴があるのだろうか。遠藤周作が描いているのは、自分の人種に対する白人の反応を自分自身が「自然化」してしまうような傾向である。

前節で見たように、他人を人種として見ることの特徴は、そのように見える原因を相手の身体に求めて人種を「自然化」し、自分の反応を「自然な」反応とみなして自己正当化する点にある。

自分の肌の色を忘れようとする黄色人種の人々は、白人から人種として見られ差別的に扱われているにもかかわらず、そうした扱いは自分の人種に向けられたものではなく、自分の外見や能力に対する「自然な」反応だと信じ、頼まれてもいないのに自分の方から相手の反応を「自然化」してしまうことがある。遠藤の次のような述懐は、示唆に富む。

次第に私はリヨンの街をあるくのがイヤになった。煙草屋の戸をあける。売子や客たちがふりかえり、ジロジロと私をみつめる。〔…〕なぜ、彼等は私をジロジロと見るのだろうか。好奇心からだろうか。だが好奇心のために彼等は黄色人を電車やレストランで避けることがあるだろうか。最も善意に解釈すれば、彼等は私がこわいのか、隣に座ることに

＊26　遠藤周作「有色人種と白色人種」（『遠藤周作文学全集』第12巻所収）、218頁。『留学』、32−33頁。
＊27　遠藤周作『留学』、35頁。
＊28　フランツ・ファノン『黒い皮膚・白い仮面』、102頁。

当惑させられるためだろうかと私は思いこもうとした。そこにはたとえば、戦後、日本に来た白人兵士と同じ電車に乗り合わせた場合、我々日本人が彼等のそばに近寄らなかった心理と同じものも含まれていただろう。普通、異人と対坐することはたしかに一種の本能的な当惑や怯えをひき起すものである。*29

ここではまさに、白人たちに人種化されている遠藤自身が彼らの人種化を「好奇心」や「本能的な当惑や怯え」といった表現で「自然化」し、正当化する（「最も善意に解釈する」）ように仕向けられている。*30 そのようにして、自分が人種として見られてしまったことから目を逸らそうとするのだ。

このように、白人のまなざしを内面化している「有色人種」の人々は、自分に対する反応が人種差別的な反応であるという事実を無視したり忘れることによって、そうした反応を自然化し正当化している可能性がある。ここでは、ファノンの言う「過敏化作用」が二重に働いている。つまり、つねに白人のまなざしに見られているように感じると共に、そうしたまなざしが白人の自然な反応であると慮《おもんぱか》るよう強いられているのだ。

（3）他の有色人種やアジア人への差別

先述したような人種として見られる経験は、他人を人種として見る経験といかなる関係にあるのだろうか。遠藤周作は、自らがフランスで被った人種差別を描写する一方で、自分たちが他のアジア人や有色人種の人々に向ける差別的なまなざしについて言及することを忘れてはいない。

すでに触れたように、人種概念を西洋から輸入する際、自らを黄色人種として位置づけた日本人は、白人よりも人種的に「劣っている」と感じ、黒人よりも「優れている」と感じた。さらに彼らは、自分たちが最も西洋化された黄色人種であると主張し、自分たちよりも西洋化されていないとされた他のアジア人や黒人たちを見下した。

こうした人種的な劣等感と優越感は、現代の日本人とは無縁だと断言できるだろうか。残念ながら、次のような例を見聞きする度ごとに、こうした感覚がどこかで残り続けていると思わざるをえない。

多くの日本人が、白人のモデルや「白人ハーフ」のモデルを理想化している。黒人や「黒人ハーフ」に対して、白人や「白人ハーフ」に対する扱いとは明らかに異なる差別的処遇を行っている。日本のコンビニや居酒屋で働くアジア人を見下しているような振舞いが見られ

＊29　遠藤周作「有色人種と白色人種」（『遠藤周作文学全集』第12巻所収）、211－212頁。

＊30　遠藤自身は、引用箇所に続けてすぐさま、「だが、それだけではなかった。白人が私と席を同じくするのを避けたのは、こうした未知のものにたいする本能的な当惑や怯えだけではなかった」と述べて、本章冒頭に掲げた汽車の経験を持ち出し、自分が人種として見られ差別されたことに向き合おうとしている。

る。中国人との比較のもと、日本人の節度や勤勉さ、研究水準の高さを白人から褒められたりして喜んでいる、等々。

こうした他の有色人種への差別的なまなざしは、白人に対する劣等感や黄色人種としての自分に対する自己蔑視から生じているのかもしれない。

遠藤は、南仏で白人と連れ立って歩いていた日本人とすれ違った際、その日本人が「恥ずかしいものに出会ったように」目を逸らし、「まるで私から日本語で話しかけられ、自分が日本人であり、黄色人だと思うのを恥じるようであった」と記している。[*31] 私自身も、パリに留学していたときに、他の日本人留学生から目を逸らしてしまったことが何度もある。そこには、自分が他の日本人とは違って、白人と同じように扱われたいという思いが少なからずあった。

そのような場合、「白人と同等に扱われること」が、「人種として見られないこと」として理解されている。こうした見方こそ、白人を「無色」とみなして、他の人種を「有色」とみなす白人中心的な人種観の表れに他ならない。

こうした人種観を内面化させた日本人が、他の有色人種やアジア人を蔑視することで、自らを白人と同化しようとするメカニズムをどのように理解すればよいだろうか。[*32]

白人が黄色人種を蔑視する場合、この蔑視は黄色人種の「劣る」とされる外見や能力に向けられている。そこには、こうした特徴をもたない自分が黄色人種よりも優れているという優越感が含まれ、この「劣った」相手から自分を峻別して分離することが目指される。

では、自己蔑視の場合はどうなるのだろうか。それは、「劣る」とされる自分の外見や能力に向けられている。それを蔑視している自分はある種の優越感を抱き、この「劣った」自己からの分離を目指そうとする。

黄色人種としての自己を蔑視する場合、「劣る」とされる自分の外見や能力を蔑視しつつ、それを蔑視している自分自身は、人種として見られる自分からどこか切り離され、あたかも白人の一員であるかのように感じられる。当然ながら、こうした分離は実際には不可能である以上、それはあくまで錯覚にすぎず、白人目線から黄色人種としての自己を蔑視する自分は「架空の自己」にすぎない。

要するに、人種としての自己を蔑視する日本人は、自分の肌の色を忘れることによって、「劣る」とされる自分のあり方から離れて、それを蔑視する白人のまなざしと自己同一化しようとしている。その結果、彼らはこの架空の白人視点から、自分を「有色人種」から切り離して、他の有色人種の人々やアジア人を蔑視するようになると考えられる。

＊31　遠藤周作「有色人種と白色人種」（『遠藤周作文学全集』第12巻所収）、２１８頁。
＊32　以下の自己蔑視についての分析は、アジア系アメリカ人の人種経験を分析しているデイヴィッド・キムの議論に依拠している。David H. Kim, Shame and Self-revision in Asian American Assimilation, in: E. Lee (ed.), *Living Alterities*, pp. 116-118.

言うまでもなく、有色人種が他の有色人種を蔑視する事情や背景は、時代や地域によっても多様であるため、より細かい検討が必要である。しかし、以上のような自己蔑視から生じる他の有色人種への差別的な見方は、日本における人種的マジョリティの人種観を考えるうえで避けて通ることができないと思われる。

人種差別的な習慣を変えるには

私たちが他人を人種として見てしまうのも、白人優越主義を含んだ人種観を通して自らを見てしまうのも、意図的ないし自覚的というよりも、習慣的な側面が強い。人種についての私たちの見方は、家庭での養育や学校教育、マスメディアの人種表象等を通じて長い時間をかけて培われてきたものであるため、人種が神話であることに気づいたとしても、ただちに人種にまつわる様々な見方から縁を切ることはできない。

だからといって、習慣に対してなす術《すべ》がないということにもならない。習慣がどれほど周囲の人々や環境の影響によって形づくられるとはいえ、私たちは自らの習慣に対して完全に受け身であるわけではない。[*33]

習慣は、他ならぬ自分自身が獲得し、維持し、その都度実践しているものでもある。自分の習慣的な見方に差別的な見方が紛れ込んでいることを知ったなら、私たちはそうした習慣的な見方を、疑問を抱くことなく維持したり、実践したりすることの責任を問われうる。

そしてまた、習慣はある時点で完成して不変なものとなるわけではなく、つねに形成途上のものでもあるので、自身の習慣的な見方をよりよいものへと変えることは可能であり、そうする責任が私たちに課されていると考えられる。

では、どのようにして、私たちの習慣的な見方を変革しうるのだろうか。アメリカ出身で日本に住む黒人のコラムニストのバイエ・マクニールは、彼が日本で日常的に体験する「空席問題」——電車が満員でも彼の隣に座るのを日本人が避けること——の見方を変えた、ある母親の例を挙げている。[*34]

あるとき、マクニールの隣に座るよう促されて「怖い！」と言った幼い娘に対して、その母親は自分が彼の隣に座ってみせ、娘が彼と接する機会をつくった。それによってその子は最後には彼を恐れなくなり、「バイバイ」と手を振って降りていったという。

この母親が日頃からこうした振舞いをできる人であったのかはわからない。もしかしたら、彼女にとってもこの振舞いは、外国人の隣に座るのを避けてしまうそれまでの習慣を変えようとする試みだったのかもしれない。重要なのは、マクニールが指摘するように、この振舞

＊33　Helen Ngo, *Habits of Racism*, pp. 38-43.
＊34　バイエ・マクニール「日本人は、なぜ外国人の『隣』に座らないのか」（『東洋経済オンライン』2018年11月11日）。

いが個人のなかで完結したものではなく、娘の習慣を形づくったり、周囲の乗客に自分の偏見や習慣に気づかせ、それらを変容させたりする可能性を秘めているということだ。

もちろん、マクロなレベルで、人種差別的な見方を助長したり許容したりする法制度やメディアによる人種の表象を変えていくことは必要である。けれども、私たちに染みついた人種観を変えていくためには、自分の身近にある些細な習慣や振舞いを変えていくことが、私たちの想像以上に大きな効力をもっているのかもしれない。

アメリカの黒人作家ジェームズ・ボールドウィン（1924－87）が喝破したように、「肌の色というものは、人間的な現実でもなく、個人的な現実でもない。それは政治的な現実なのである」[*35]。

すでに述べたように、人種は科学的に測定できるような存在ではない。だからといってそれは個人の意識だけに現れるような幻でもない。私たちが人種によって人々を分類し、差別しているということは、差別されている当事者たちによって現に語られ、否定し難い現実を形づくっている。

人種は科学的には存在しないのだと言って、ただ「人種にとらわれない」ように説くことも、ただ無難だからという理由で、公に正しいとされる表現や振舞い――いわゆる「ポリコレ」――に従っておくことも、私たちの奥底に染み込んだ人種差別的な見方から目を逸らして現実を単純化してしまいかねない。

私たちが、本当の意味で、人種差別に向き合おうとするなら、国内で日々人種化されている人々の経験に耳を傾け、自分たちが経験しえない現実を理解する必要がある。そうして、自分が自然だと思っている日々の見方や反応に疑問をもって、それを「脱自然化」しなければならない。つまり、自分には自然に現れてくるように見える相手の人種やそれに伴う現実を、それが置かれた歴史的背景や文化的文脈との関わりから見つめ直す必要があるのだ。

こうした見直しは、他人を人種として見る際に暗黙の前提となっている自分自身の純血性への信仰や、自分が気づかぬうちに与してしまっている白人優越主義を問い直す作業と切り離せない。このような問い直しを通じて初めて、私たちは人種に関する複雑な現実を「解きほぐす」ことができるようになるはずだ。

＊35 ジェームズ・ボールドウィン『黒人はこう考える』、黒川欣映訳、171-172頁。

参照資料
〔邦語文献〕
遠藤周作「有色人種と白色人種」、『遠藤周作文学全集』第12巻、新潮社、2000年所収
遠藤周作『留学』、新潮社、1968年
ケイン樹里安「『ハーフ』にふれる」、ケイン樹里安・上原健太郎編著『ふれる社会学』、北樹出版、2019年所収
コーツ、タナハシ『世界と僕のあいだに』、池田年穂訳、慶應義塾大学出版会、2017年
下地ローレンス吉孝『「混血」と「日本人」――ハーフ・ダブル・ミックスの社会史』、青土社、2018年
下地ローレンス吉孝「『日本人』とは何か?――『ハーフ』たちの目に映る日本社会と人種差別の実際」、『ニッポン複雑紀行』2018年6月27日
https://www.refugee.or.jp/fukuzatsu/lawrenceyoshitakashimoji01
ジョルダン、ベルトラン『人種は存在しない――人種問題と遺伝学』、林昌宏訳、中央公論新社、2013年
竹沢泰子「人種概念の包括的理解に向けて」、竹沢泰子編『人種概念の普遍性を問う――西洋的パラダイムを超えて』、人文書院、2005年所収
竹沢泰子「差異と差別の〈不〉可視化をめぐって」、斉藤綾子・竹沢泰子編『人種神話を解体する』(第1巻「可視性と不可視性のはざまで」)、東京大学出版会、2016年所収
中條献『歴史のなかの人種――アメリカが創り出す差異と多様性』、北樹出版、2004年
夏目漱石『三四郎』、新潮社、1948年
夏目漱石「倫敦消息」、三好行雄編『漱石文明論集』、岩波書店、1986年所収
ファノン、フランツ「黒い皮膚、白い仮面」(『フランツ・ファノン著作集』第一巻)、海老坂武・加藤晴久訳、みすず書房、1970年
フックス、ベル「黒人男性の身体を表象する」、『アート・オン・マイ・マインド――アフリカ系アメリカ人芸術

における人種・ジェンダー・階級』、杉山直子訳、三元社、２０１２年所収
ボールドウィン、ジェームズ『黒人はこう考える――人種差別への警告』、黒川欣映訳、弘文堂、１９６３年
眞嶋亜有『「肌色」の憂鬱――近代日本の人種体験』、中央公論新社、２０１４年
マクニール、バイエ「黒塗りメイクは世界では人種差別行為だ――在日13年の黒人作家が書き下ろした本音」、『東洋経済オンライン』、２０１８年1月17日　https://toyokeizai.net/articles/-/204735
マクニール、バイエ「日本人は、なぜ外国人の「隣」に座らないのか――それは人種差別というほどでもないが」、『東洋経済オンライン』、２０１８年11月11日　https://toyokeizai.net/articles/-/248134
村上由見子『アジア系アメリカ人――アメリカの新しい顔』、中央公論社、１９９７年
山室信一『思想課題としてのアジア――基軸・連鎖・投企』、岩波書店、２００１年

〔外国語文献〕

Al-Saji, Alia, A Phenomenology of Hesitation: Interrupting Racializing Habits of Seeing, in: Emily S. Lee (ed.), *Living Alterities: Phenomenology, Embodiment, and Race*, New York: SUNY, 2014.
Kim, David Haekwon, Shame and Self-revision in Asian American Assimilation, in: Emily S. Lee (ed.), *Living Alterities: Phenomenology, Embodiment, and Race*, New York: SUNY, 2014.
Ngo, Helen, *Habits of Racism: A Phenomenology of Racism and Racialized Embodiment*, Lanham/Boulder/New York/London: Lexington Books, 2017.
Yancy, George, *Black Bodies, White Gazes: The Continuing Significance of Race*, Lanham, MD: Rowman & Littlefield, 2008.

〔映像〕

『モネ・ゲーム』（原題*Gambit*）、マイケル・ホフマン監督、２０１２年

第3章

親子

何が「子どものため」
になるのか？

1 母親のお人形

22歳女性　両親へ

あなたたちは私に恵まれた生活を与えているつもりです。しかし、私には地獄です。〔…〕

高二の時、手首を切ったのを気づかないふりをしてましたね。学校でいじめられてた時もそのまま。あなたは世間にばれなければ、娘のことなどどうでもよかった。父親が二十一歳の娘の胸や体を触ってても知らん顔。本当はふれられただけでも鳥肌がたちます。〔…〕

今まで金銭的にはいい生活をさせてもらってます。しかし、あなたの思い通りに育てられたおかげで、私には自分の意思がありません。

お人形。

このことに気が付かなければ、一生幸福でした。

私の周りであなたの気に入らないものは、すべて排除してきました。持ち物から友人彼氏まで。そのお陰で私は他人との距離がとれず、友人がいません。それを家族で笑っていますね。いつも……。

私は強度の人間不信です。イヤなことがあると自分の体をカッターで切ってガマンしています。

『もう家には帰らない[*1]』

＊1　Create Media編『もう家には帰らない』、12－13頁。

2 子どもは親を切れない

子どもはどんな親でも切ることができない。どれだけ親にじゃけんに扱われたとしても、手をつないでくれた記憶、抱きしめられた記憶、一緒にいた時間の記憶を拾い集めて、子どもは親を庇おうとする。記憶はどれもその子の存在そのものにつながっている。〔…〕家族はよきものであるというのは単にイデオロギーに過ぎないことを知れば、家族を対象化しその暴力から逃れることができるはずだと、長年私はそう思ってきた。でもそうした言葉を彼女たちに問いかけてみても、彼女たちは親や自分の子どもと生きようとしていた。だから、私はもう黙って、彼女たちの言葉に耳を傾けるようになった。

上間陽子「家族をつくる」[*2]

＊2　上間陽子「家族をつくる」（『現代思想』2017年11月号所収）、113頁。

親子関係を哲学する

なぜ、わが子を虐待してしまう親がいるのか。なぜ、子どもは自分を虐待する親から逃げられないのか。痛ましい虐待事件が相次ぐなかで、こうした疑問を抱く人は多いはずだ。

子どもを虐待する親はしばしば、「虐待ではなくしつけだ」「子どものために叩いている」などと主張する。親に虐待される子どもは時に、親からの仕打ちを「自分が悪いことをしたから叩かれた」とか、酷い仕打ちをうけても「親は、本当は自分のことを愛している」「愛しているから叩くのだ」と思おうとする。

こうした親を非難したり、子どもの「思い込み」に囚われずに子どもを保護するよう児童相談所に求めたりすることは、誰もが思いつく。実際、虐待事件の批判の矛先は、「ろくでもない」親たちや、「子どもを助けられない」児童相談所に向けられるのが常である。

親子間の暴力――親から子への暴力だけでなく、子から親への暴力も問題となっている――に対して、相談窓口や支援センターの充実、関係機関の連携、法制度の整備等といった具体的な対策が急務であることは言うまでもない。けれども、こうした対策は、親子間の暴力そのものを防止するというよりは、親子間の暴力が生じてしまった後に、迅速かつ適切に対応するためのものである。

多くの人が自分は虐待とは無縁だと思い込みやすいが、毎晩延々と泣き続ける赤ん坊に手をあげそうになったり、子どもにイライラをぶつけてしまったりしたことがある親は少なくないはずだ――私自身、深夜に何時間も泣きやまないわが子に怒鳴ってしまったことがある。私たちの誰しもが、親子間の暴力の加害者にも被害者にもなりうる。だとしたら、先に挙げた対策と共に、親子間の暴力を容認したり、助長したりしているかもしれない私たちの親子観そのものを見つめ直す必要があるのではないか。

育児や教育、親子や家族についてはおびただしい数の本やエッセイ、漫画が出版されている。しかし、私たちがそもそも「親」や「子」をいかなる存在とみなし、どのような親子関係を望ましい、あるいは望ましくないとみなしているかを哲学的な観点から分析した研究は少ない。[*3] 本章では、親子関係というものがその当事者である親や子にいかに経験されているのかに遡って、この関係に孕まれる様々な問題性を考察していく。

前半では、親による子どもの「私物化」をめぐる様々な問題――新型出生前診断、デザイナーベイビー、虐待、過干渉――を取り上げ、それらが親のいかなる「子ども」観に由来す

*3　本書では取り上げられなかった母や父の相違や共通点については、中真生「『母であること』(motherhood)を再考する」(『思想』1141号所収）および中村佑子「私たちはここにいる」(『すばる』2018年2月号〜2020年2月号所収）参照。

るかを示す。

望ましくないとされる親子関係の問題点を明らかにすることで、私たちがいかなる親子関係を望ましいとみなしているかが見えてくる。それと共に、「子どものためにすべてを犠牲にする親」を理想化することの危険性も露わになってくるはずだ。

後半では、親、とりわけ生みの親が子どもにとっていかなる意味で重要なのかを考察する。血縁を特権視する親子観は、夫婦以外の第三者の精子や卵子の提供によって生まれた子どもや、養子として育てられた子どもには、「出自を知る権利」があるとする現代の議論にも息づいている。

本書では、こうした議論に対する反論も取り上げ、血縁の特権視が前提とする家族観を明らかにする。そのうえで、なお生みの親に執着する子どもの生き方から何が言えるかを考えてみたい。

1 親にとって子どもとは？

「子どもをもつ」ことは何を意味するか

親にとって「子どもをもつ」ことは、何を意味しているのか。まずは「子どもをもつ」という何気ない言い回しに含まれている意味から考えていこう。

「車をもつ」と言う場合、それは車が使用可能なものとして物理的に存在し、その所有権を有することを意味する。「子どもをもつ」ことを、このような物理的・法的な意味に限定して、「子どもが身近にいて、その親権を有する」という意味に理解することは稀である。むしろ「子どもをもつ」と言うとき、通常そこには「カップルで子どもをつくり、女性が子どもを産み、その子を育てながら共に生きる」ということが含意されている。

例えば、カップルが「子どもをもつ」のをためらう理由として、妊娠・出産で女性が職を失うのを恐れたり、経済的な事情で子どもと共に生きるのに不安だったりすることを挙げる場合、そこではこうした一連の過程が念頭に置かれている。また、自分たちが育てるつもりのない子どもや自分たちが養いきれない数の子どもをつくるような親は、子どもをもつのにふさわしくない無責任な人だと非難される。

「子どもをもつ」と言うとき、この「子ども」は「自分の子ども」を意味している。そして、この「自分の」という表現の捉え方こそが、親子間の様々な問題の源でもある。

最も単純には、「自分の子ども」というのは、生物学的な意味で「自分と遺伝的なつながりのある子ども」として理解される。しかし、必ずしもそれに限定はされない。親のどちらかに不妊の原因があって、他人から精子提供や卵子提供を受ける場合もカップルは、「自分の子ども」を欲している。自分たちとは遺伝的なつながりのない子どもを迎える養子縁組の場合でも、養父母は「自分の子ども」として育てようとする。

さらに、「自分の子ども」は「他人の子ども」との対比において意味をもつ。どんなに可愛くても、他人の子を自分の子と取り替えようとする親はいないだろう。

また、社会を維持していくためには一定の出生率が必要だが、そのために子どもをつくる人はいない。親たちが望むのは、新しい人間の命や新たな世代を担ってくれるメンバーなどではなく、自分の家族の一員となる子どもである。人身売買のような極端なケースを除けば、自分の子どもをもとうとすることなく、ただ単に子どもをつくろうとするようなことはありえない。*4

親たちは、子どもが自分の子どもであるがゆえに、世話をし、しつけをし、愛情をかける。その一方で、自分の子どもであるがゆえに、叱ったり、叩いたり、自分たちの価値観や生き方を押しつけたりすることもある。親たちは、子どもが自分とは異なる人格をもつ存在であることを知りつつも、自分の子どもを自分の意のままにできる所有物のように捉えてしまうときがある。

子どもの虐待について研究する西澤哲は、2000年に制定された「児童虐待の防止等に関する法律」にも用いられている「虐待」という言葉が、もともと「濫用」――本来の目的とは異なる正しくない使い方――を意味するabuseの訳語である点に注意を促す。

そこで問題となっているのは、子どもへの肉体的・精神的暴力だけでなく、親が欲求を解消する手段として子どもを利用したり、自分の所有物であるかのように扱ったりする点にある。つまり虐待とは、「子どもの存在や子どもとの関係を利用して、本来の親子関係における子どもの欲求や要求ではなく、親が自らの欲求や要求を満足させる行為」だと考えられるのだ。[*5]

本章ではこの定義を、親による子どもの「私物化」として、一般に「虐待」とみなされる身体的虐待・性的虐待・育児放棄《ネグレクト》・心理的虐待を含む広い意味での虐待と考える。身体的虐待といった狭い意味での虐待をしない親であっても、子どもを独立した人格として認めず、

＊4　代理出産の代理母は、「自分たちの子ども」をつくることを望むカップルによって依頼され、金銭等と引き換えにその作業の代行をしていると考えられる。そして、まさにその点に倫理的な問題がある。
＊5　西澤哲『子ども虐待』、32頁、64－65頁。

対象	子どもに求められること	例
(1)生まれてくる子ども	(a)「健康で正常な」子ども	新型出生前診断
	(b)「優れた」子ども	デザイナーベイビー
(2)生まれてきた子ども	(c)親への服従・親の欲求の解消	身体的虐待、性的虐待、育児放棄、心理的虐待
	(d)親が望む生き方	過干渉(習い事、受験、結婚、出産)

表1　子どもの私物化に関する諸問題

自分の所有物であるかのように私物化して扱うことはよく見られる。

狭義の虐待に対しては、様々な対策が講じられつつあるが、子どもの私物化に対しては程度差もあり、どんな親も一度ならずしてしまいがちであるため、なかなか深刻な問題として捉えられることがない。本章では、この私物化の前提となる親子観を掘り下げていきたい。

子どもの私物化に係わる問題は多岐にわたるが、親たちが子どもをどの時点で――生まれてくる前あるいは生まれてきた後――私物化しようとするか、子どもに何を求め、どのように扱うかによって表1のように区分できる。

子どもが生まれる前から、子どもを私物化してしまうケースは存在する。新型出生前診断等によって胎児の障碍の有無を調べ、陽性反応が出たらただちに中絶してしまうようなケースや、受精卵の段階で遺伝子操作を行い親が望むような外見や知能を備えた子どもを生み出そうとするデザイナーベイビーのケースだ。

生まれてくる子どもの私物化

(a) 家族とクラブ──新型出生前診断

妊婦の血液から胎児の染色体異常を調べる新型出生前診断(NIPT)は、2013年から35歳以上の妊婦を対象とした臨床研究として導入された。2018年3月までの間に、検査後に異常が確定した妊婦783人のうち9割以上の729人が人工中絶を選んだ。

なかには、「障碍をもって生まれることは、子どもにとって幸せではない」という理由で、中絶を擁護する人もいる。こうした考えは、妊婦が胎児のために喫煙や飲酒を控えるのと同様、「子どものため」に中絶をした方がよいと主張しているように見える。

しかし、喫煙や飲酒を控えることが生まれてくる子どもの健康のためになされるのとは対照的に、障碍を理由に中絶することは子どもが生まれてくること自体を阻む点で、「子どものため」とは言い難い。また、障碍者も健常者と同程度もしくはそれ以上に、幸せだと感じている人が多いというデータもある。[*6] そのため、「子どものため」という理由で中絶を擁護する人は、実際には障碍児を育てることになるかもしれない「自分のため」に中絶を擁護し

*6 有馬斉『死ぬ権利はあるか』、388-390頁。

ているのに、その事実から目を背けている可能性がある。

確かに新型出生前診断を受診するかどうか、陽性反応が出た後にどうするかは、カップルの決定に委ねられている。胎児の障碍の有無を知ることで出産後の準備ができるようになることは、カップルの選択肢を増やす点でよいという意見もある。しかし、本当にそのように言えるかどうかは疑問の余地がある。

むしろ、それはカップルに出産するか中絶するかの「選択」を強いて、その選択の責任をすべて負わせることにつながりかねない。例えば、障碍児を産むという選択をしたカップルは、自分たちで選択して産んだのだから、周囲や行政に頼らずに養育の責任を果たすべきだといった主張を助長する可能性がある。

このように、子づくりをもっぱら選択の問題にしてしまうことで、新型出生前診断はどのような家族観を推し進めることになるのだろうか。

新型出生前診断の陽性反応が出ると、多くの場合カップルが望んで子どもをつくったにもかかわらず、障碍の有無というただ一つの基準でもって、「自分の子ども」として受け入れるかどうか選択することを強いられる。

そこに見て取られるのは、自分の子どもとして認められるためには、胎児に「健康証明書」が必要だという考えだ。すなわち、意図的かどうかは別にして、彼らは家族を、入会のために入会資格を満たす必要のある会員制の「クラブ」のように捉えてしまっているのだ。[*7]

「家族」を「クラブ」とみなすことは、どういう点で現実を歪めてしまっているのか。会員制クラブの場合、原則としてクラブの現メンバーに、入会資格の決定権や、入会希望者の入会を認める権限がある一方で、入会希望者は自分でクラブに入ることを望み、入会後に退会することも可能だ。これに対して、自分が選んだわけではない親きょうだいや親戚との関係からなる家族の場合、生まれてくる子どもは親を選べず、成人するまでは自分から家族関係を解消することもできない。

健常者であることを家族の入会資格とみなすなら、新型出生前診断で診断可能な三つの障碍以外の障碍が判明した子どもや、出産中や出産後に病気や事故等によって障碍を負った子どもは、家族から「退会」させられてしまうことになるが、そんなことは認められない。

こうした点に鑑《かんが》みると、家族をクラブと同じように考えることには無理がある。クラブのように家族を捉えてしまうと、子どもの出生に関して親に過度の責任を負わせると同時に過度の権限を与えることになり、子どもを親の所有物のように扱うことを許容しかねないのだ。

＊7　Adrienne Asch, Why I Haven't Changed My Mind about Prenatal Diagnosis, in: E. Parens & A. Asch (edd.), *Prenatal Testing and Disability Rights*. 家族とクラブの区別については、マイケル・ウォルツァー『正義の領分』、75－76頁参照。

(b) 子どもと製作物——デザイナーベイビー

遺伝子操作によって親が望むような外見や知能を子どもに備えさせようとするデザイナーベイビーは、子どもの私物化の典型的な例と言える。

デザイナーベイビーについては、そもそも外見や知能には複数の遺伝子と環境要因が関わっているため、親が望む特徴を子どもに備えさせることはほとんど不可能であると言われている。それでも、自分の子どもが社会的に有利な特徴をもって生まれてくることを願う親は、一定数存在する。そのために高学歴の精子提供者を探したり、「(白人) ハーフの子を産みたい」と願ったりする親も、自分が望むような子どもをつくろうとする点では、デザイナーベイビーを望む親と共通している。

こうした親たちは、ある種の特徴(青い目、高身長、高い知能)が子どもたちの利益や幸せにつながることを信じて疑わず、「子どものため」にそれらを与えようとする。しかし、それらが子どもたちの利益になるとは限らない。また、裕福な親たちが、社会的に有利な特徴を子どもに備えさせることができるようになれば、裕福でない家庭に生まれた子どもは一層不利な立場に立たされるという懸念もあるだろう。

けれども、仮にどんな親も子どもをデザインできるとしたらどうだろう。子どもが社会的に有利な特徴をたまたまもって生まれることと、親がそうした特徴を「与える」こととの違いは一体どこにあるのか。

外見や知能を鍛練や教育で向上させることは可能だし、多くの人がしているのに、なぜ生まれつきそうした特徴を備えさせようとすることが批判されなければならないのか。デザイナーベイビーを批判する人は、何ら手を加えない「自然な誕生」を神聖視しているだけではないのか――このように反論することも可能だ。

デザイナーベイビーを禁じる根拠は、最終的には、遺伝子の改変が意図せぬ害悪を引き起こす恐れがあり、そのリスクを子どもに負わせる点に求められるだろう。

だが、これとは別に、デザイナーベイビーに対して抱かれる違和感は、子どもをある種の「製作物」とみなす親たちの子ども観に向けられていると思われる。作者が自分の思い通りに作り上げる製作物とは異なり、子どもは親が抱く理想像に即して一方的に作り上げられるものではない。親にできるのは、子どものその時々の欲求や意志を汲み取って、子どもが自分の資質を伸ばす手助けをすることだけである。

子どもの欲求や意志が生じる前に子どもをデザインしようとする親は、自分が望む特徴を子どもも望むはずだと断定することで、子どもがもつことになる欲求や意志の独立性を無視してしまっている。そのため、こうした親がどれだけ「子どものため」に社会的に有利な特徴を備えさせようとしているのだと言っても、空疎に聞こえる。

それは、「子どものため」というよりは、自分が望む特徴を子どもにもたせることで自分が満足するため、つまり「自分のため」になされているように思われるからだ。このように、「子どものため」にという動機が、「自分のため」にすり替わっていることが問題視されるのだ。

生まれてきた子どもの私物化

生まれてきた子どもを養育したり（ある程度まで）教育したりするのは、通常は、親の役割だとみなされている。親たちは、自分の子どもを養育・教育しようとして、叱ったり叩いたりしてしまうことがあり、それが虐待へとつながる。また、子どもに幸せになってほしいと思うあまり、子どもの進路に口を出したり、勝手に決めてしまったりすることもある。

こうしたリスクがあるにもかかわらず、なぜ子どもの養育は、養育専門の施設や養育のプロフェッショナルではなく、大抵は養育の素人である親によって担われるべきだと考えられているのだろうか。

その理由は、複数存在するだろうが、ここでは、子どもの自尊心を育むという観点から考えてみたい。実際、子どもが望ましい形で自尊心をもてるようにすること、つまり自分自身の価値や自信を感じられるようにすることを、「最も重要な親の義務」だとする論者もいる。[*8]

というのも、自尊心をもてないと、自分が国家の保護や権利に値する人間であることを自覚できないので、どれほど個人の自由や権利を国家が保障しても、市民が幼少時から自らの自尊心を育んでいけるのでなければ、そうした自由や権利は骨抜きにされてしまうからだ。[*9]

子どもが自尊心をもつためには、親による子どもの二種類の肯定、すなわち「存在の肯定」と「自律性の肯定」が必要である。虐待や過干渉は、子どもの存在を否定したり、自律性を毀損したりする点に、その悪質さがあると考えられる。[*10] このことを、以下で見ていきたい。

(c) しつけと虐待——子どもの唯一的な価値の毀損

生まれてきた子どもに対してなされる狭義の「虐待」には、身体的虐待、性的虐待、育児放棄《ネグレクト》、心理的虐待が含まれる。

子どもの生命や健康を脅かす暴力や育児放棄が虐待と呼ばれるのには異論の余地がない。しかし、しつけの一環としてなされるような体罰や、大声や脅しなどで恐怖に陥れたり、著しいきょうだい間差別をしたり、自尊心を傷つける言葉を繰り返し浴びせたりするような心

＊8　Jeffrey Blustein, *Parents and Children*, pp. 128-129

＊9　政治哲学者のロールズが自尊心を「おそらくは最も重要な基本財」とみなすのは、こうした理由からである。ジョン・ロールズ『正義論』、第67節。

＊10　以下では、便宜上、狭義の虐待に子どもの存在の否定を、過干渉に子どもの自律性の否定を割り振って論じるが、実際には、心理的虐待と過干渉、存在の否定と自律性の否定は、境界が曖昧だったり、同時に生じていたりすると思われる。

理的虐待が、虐待に含まれるのはなぜだろうか。

２０２０年４月に施行される児童虐待防止法の改正では、基本的にしつけとしての体罰は禁止されることになった。厚生労働省が出した指針によれば、「注意しても聞かないので頬をたたく」といったことも体罰に含まれる。

この改正は、親などによる虐待を防ぐうえで望ましいことだ。これまで、体罰があっても「しつけのため」という理由をもちだされると児童相談所などが介入しづらかったのは、親が子どもに手をあげたときに、どこからを虐待とみなすかについて、専門家の間でも意見がわかれていたからだ。[*11]

その一方で、すべての体罰を禁止することに対しては、不満の声も聞かれる。言うことを聞かない子どもに対して、何の強制力も持たなくなることに、親たちは不安を感じるのだろう。こうした不満をよそに、ただ「体罰は禁止」という規則に従わせようとしても、虐待の可能性を本当に減らすことにはならないのではなかろうか。

なぜ、体罰は虐待となるのか。しつけのつもりでなされている行為は、いかなる点で虐待に転じてしまうのか――こうした点を考えることがそれゆえ肝要になる。

一般に、しつけは、子どもに社会のルールを守らせるためになされる。子どもがルールをある程度理解していたのに、それを破ってしまった場合、何らかの罰が下される。では、なぜ子どもにしつけをするのかと言われれば、親は「子どもが将来社会生活を送っていけるようにするため」、つまり「子どものため」だと言うはずだ。

ところが、「子どものため」になされるはずのしつけは、容易に「親のため」に転じうる。例えば、公共の場で子どもがルールを守らないことで、親が責められたり、恥をかいたりするのを防ぐために子どもを激しく叱責する親もいる。さらには、叱ったり叩いたりして子どもを従わせることで、自分の支配欲を満足させたり、イライラやストレスを解消させたりするようなケースも存在する。

本来、子どものためになされるはずのしつけが、親の欲求やストレスを解消するためだけになされていくなら、子どもは、自分がなぜ叱られているのかがわからなくなり、ただただ「自分が悪い子だから罰を受けている」「罰を受けても仕方がない」と思うようになってしまうだろう。そのようにして、親のためになされる叱責や体罰は、子どもの存在、より詳しく言えば、子どもの存在がもつ唯一的な価値を否定しかねない。

親に繰り返し自分の存在を否定されたがゆえに、自己を肯定できなくなる子どもは数多くいる。ある女性は、母に向けて「何でもかんでも『お前のせい』」というあなたの言葉を真剣に考えて、悩まなくていいことをずっと悩み続け、自分でさえ自分の存在を許せないところ

＊11 内田良『「児童虐待」へのまなざし』、112－116頁。

にまで知らずに追い込まれ、これまで自殺未遂までしてしまった[*12]」と述べる。

「お前なんて生まなければよかった」「お前のせいで〜を諦めた」等という形で、親に自分の存在を否定されることは、他人に自分の性格や行動を否定されることとは一線を画する。それは、自分の存在がただそれだけで尊重されるに値する価値をもつことを否定され、そのようにして、自分の性格や行動を肯定する土台そのものを奪われることを意味するからだ。

このことは、子どもの養育が特定の親によって担われることの重要性を浮かび上がらせる。ただ「自分の子ども」であるというそれだけの理由で、親にあるがままの形で受け入れられること。それによって子どもは、自分の存在が無条件に「肯定」されること、自分の存在が家族や社会の役に立つがゆえに価値があるのではなく、ただそれ自体で価値をもつことを経験すると考えられる[*13]。

子どもは、秀でた才能や容姿をもたなくても親に受け入れられ、肯定される。しかも単に「子ども一般」として肯定されるのではなく、一人ひとりの子どもという個別性において肯定される。そのことによって、子どもは自己の無条件的で唯一的な価値に気づくことができるようになる。反対に、体罰や心理的虐待によって、繰り返し子どもの存在が親に否定されるなら、子どもの無条件的で唯一的な価値は毀損されてしまうことになるのだ。

（d）パターナリズムと過干渉――自律性の毀損

こうした虐待まではいかなくとも、子どもにとって重要な決定に際して、自分がよしとする道を子どもが選択するように誘導したり強制したりする親は少なくない。子どもの受験や就職、結婚や出産についてたんに口を挟むだけでなく、子どもたちの意志を認めずに、自分が望むような生き方を強いることもまた親による子どもの私物化と言えよう。

ここでも、子どもに対する誘導や強制がすべて子どもの私物化となるわけではない。子どもは幼ければ幼いほど、何が自分の利益や害となるかがわからないし、自分にとって何が大事か、自分が何を目指していきたいかについても漠然とした考えしかもてない。

そのため、子どもが求める前に子どもに必要なもの（衣服や食料、生活用品や医薬品）を準備したり、ときには子どもの意志や欲求に逆らってでも子どもの利益となることを強いたり（好き嫌いに係わりなく栄養があるものを食べさせたり）、子どもが将来自分の目標を追求することができるように手助けする（マナーを身につけさせ、学校にいかせる）ことは必要である。

このように、強い立場にある者が弱い立場にある者の利益になるように、本人の意志に反し

＊12 『もう家には帰らない』、23頁。他にも、同書には、親から子どもに投げかけられた、子どもの存在を否定しかねない言葉が記録されている。「生まなきゃ良かった」（139頁）、「あんたさえいーひんかったら、お父さんと別れて気楽に生きて行けるのに」「あんたのためにお母さんは我慢してるんや」（155頁）。

＊13 こうした肯定を森岡正博は「誕生肯定」と呼ぶ。森岡正博「誕生肯定とは何か」（『人間科学』第6号所収）。

て干渉することは、一般にパターナリズムと呼ばれる。

パターナリズムは、成人同士の関係においては、どんなに相手の利益になったとしても、相手を尊重していないとみなされうる。例えば、医者が患者の健康を憂慮して煙草を無理やり取り上げたら、それがどれほど患者の利益になったとしても患者を尊重していないとみなされるかもしれない。

これに対して、親が子どもの意志に反することを子どもに強いたり、子どもの意志や欲求を誘導したりすることは、それが子どもの利益につながるなら、許容されるし、子どもを尊重していないことにはならない。家族、子どもの健康のために未成年の子どもから酒や煙草を取り上げたとしても、子どもを尊重していないと言われないだろう。

では、どのような干渉が子どもを私物化するような過度な干渉となってしまうのだろうか。親が子どもの選択に干渉するのは、子ども自身が選択しなくても利益を得られるようにするためではなく、子どもが自分で選択する能力を育み、やがて親の保護を必要としなくなるようにするためである。[*14]

こうした目的に反する干渉、子どもが自分で選択する余地をなくし、子どもを親に依存させ続けるためになされたり、親の欲求や虚栄心を満たすためだけになされたりするような干渉は、子どもを私物化する過度な干渉となる。

本章冒頭の引用で「あなたの思い通りに育てられたおかげで、私には自分の意思がありません。お人形。〔…〕私の周りであなたの気に入らないものは、すべて排除してきました」と語る子どもは、親が子どもの選択能力を認めないことで――意志や決定権をもたない「お人形」として扱うことで――自分たちに従わせ続けるような干渉を受け続けてきたと考えられる。こうした干渉によって、子どもは自分の意志や選択には価値がないと信じ込まされ、自分の人生を自分自身で選択してつくりあげていく自律性を毀損される。

反対に、親によって自分のなしたこと、それも自分が成し遂げた結果ではなく、そこに至るプロセスや努力を褒められ、自分の目標や人生を自分自身で選択するよう勇気づけられることは、子どもが自分で何かを意志したり決定したりすることそれ自体の価値に気づくために重要である。

たとえ自分の選択や決定がよい結果につながらなかったとしても、自分で選択し決定すること自体の価値、つまり意志して決定する自己の自律性の価値に気づくことができるようになるからだ。このような経験を積み重ねることで、子どもは親や他人にとって価値ある生き方ではなく、自分自身にとって価値ある生き方を探求するよう促される。子どもの決定に誰よりも口出しできる親によって自律性を肯定されることは、自律性の価値に子どもが気づくための最良のルートの一つをなすのだ。

＊14 Harry Brighouse & Adam Swift, *Family Values*, p. 62.

「親である」ことと「親になる」こと

ここまで検討してきたような（a）〜（d）に共通して見られるのは、自分の子どもをもつことや育てることが、親が満足できる子どもをもとうとしたり、親の欲求や一方的な期待を満たすために育てたりすることになってしまうということだ。そのようにして、子どもは自分自身の欲求や意志、取り替えのきかない価値をもった人格としてではなく、親が充足感を得るための手段として扱われてしまう。

こうした私物化のすべてが、親の悪意によって生じているわけではない。親が「子どものため」にしていると思っていることが、いつの間にか「親自身のため」になされていることは少なくないからだ。自分の子どもを自分の分身のように愛する親であるほど、自分の子どもを自分から切り離して考えることが難しく、「自分の子どものため」に何かをしようとすると、それが「親自身のため」に反転して、私物化に陥る危険がつねにあるのだ。

こうした危険性を指摘することで、つねに「子どものため」のことだけを考える親が理想の親だと言いたいわけではない。

実際、先に見たような子どもの私物化を一切していないと断言できる親は、どれほどいるだろうか。仮にいたとしても、それはたまたま（経済的余裕があったり、子育てに祖父母の援助があったり、地域や自治体の適切な支援があったりといった）運のいい環境にいたおかげである可能性が高い。逆に言えば、子どもを私物化してしまっている親たちも、適切な支援を受けられればその状況から抜け出られるはずだ。

私物化をめぐる叙述は、あくまで、自分のしていることが本当に「子どものため」になっているかを振り返る指標として役立つ。しかし、こうした指標は、親がつねに守らなければならない規範でも、それを遵守しないと親とは認められないような条件でもない。完全な親でなくとも子どもを産み育てることはできるし、私たちの誰もが完全な親ではありえない。

このように言うのは、虐待に走る親たちを擁護したいからではなく、むしろ子どものためにすべてを犠牲にしたり、子どものためにのみ存在しようとしたりするあり方を、親の理想像とみなすことの危険性を指摘したいからだ。

こうした理想像は、歴史的にはもっぱら母親たちに課せられ、子どもを産み、子どものためにのみ生きることを女性たちに強いてきた。それだけでなく、こうしたあり方を理想的な親とみなすことは、親が自分の犠牲の代償として、子どもに過剰な期待を抱いたり、子どもに見返りを求めたりすることに容易に反転してしまう。子どものためにすべてを捧げようとする親は、「お前のせいで、自分の人生は台無しになった」と言う親と表裏一体をなしているのかもしれない。

子どもを産み育てることが、親の欲求や自己肯定のたんなる手段と化してしまうことは問題であるが、それが親自身の人生や自己実現とは全く関係のない、たんなる義務と化してしまうのも望ましくない。親が自分の人生のなかで育児に充実感を感じられたり、子どもをもった後でも自分自身の目標を目指し続けられたりすることは重要である。というのも、よい親になるためには、「ただ親でのみあり続ける」べきではないからだ。

親にも自分自身の人生があるため、自分の利害や信条、子ども以外の人たちに対する義務を、子どもの利害よりも優先する方がよいときもある。例えば、休日にどうしても参加したいデモがあるが、幼い子どもの世話をしてくれる人が見つからない場合、その子を連れてデモに行くことは、子どもの健康のためには最良の選択ではないかもしれないが、そうしたからといって「よい親でない」ことにはならない。[*15]

さらに重要なのは、親が子どものために過度な犠牲を払うことなく自分自身の人生を歩むことは、誰より子どもにとってよいと言えるということだ。[*16]

子どもは、親が親自身の感情・考え・人生をもった独立した人間だということを知ることで、ただ自分の面倒を見てくれる存在としてのみ親を見ることをやめて、親への過度の依存から脱していくことができるようになる。それだけでなく、両親がそれぞれの目標と人生計画を育児等のせいであきらめることなく追求する姿から、子どもは自律性の価値についても多くを学ぶはずだ。この意味で、共働きの親に育てられる子どもが「かわいそう」だとみなすような――現代でも根強く残っている――考えは、まったく筋違いなのだ。[*17]

親は自分の欲求や期待を満足させるためだけに、子どもを用いていないか、つまり子どもを私物化していないか、注意を払うべきである。けれども、子どものわがままや要求を何でも叶えてあげることはある種の育児放棄にすぎないし、子どものために自分のすべてを犠牲にしてしまうことは、子どもの私物化に反転しかねない。親になることとは、子どもを自分のために利用するという自己中心主義《エゴイズム》と、子どものために自分のすべてを犠牲にする自己犠牲という両極端の中間にあるように思われる。

人は子どもが生まれることで、ただちに親になるわけではない。子どもと日々係わり、子どものたえざる欲求や要求に応えていくなかで、もっぱら自分のためだけに時間を使い、自分の仕事やライフスタイルを中心とした生き方は変容を余儀なくされる。

こうした変容を経験することなく、妻に育児を丸投げするような父親や、自分にとって価値ある生き方を子どもに一方的に押しつける親は、生物学上ないし戸籍上は「親である」かもしれないが、本当の意味で「親になる」ことができていないと言えよう。[*18]

逆に言えば、子どもにとって望ましい「親」は、必ずしも生物学上ないし戸籍上の親でな

*15 Harry Brighouse & Adam Swift, *Family Values*, pp. 98-99.
*16 *Ibid.*, p. 99.
*17 小川たまか「共働き家庭の子どもは『かわいそう』ですか？」
*18 映画『そして父になる』（是枝裕和監督、2013年）は、こうした「親である」ことと「親になる」ことの違いに気づかせてくれる。

くともよいし、婚姻関係にある夫婦や男女のカップルである必要すらない。生みの親よりも養親や里親が、両親よりも一人親や同性カップル、両親以外の複数の人々が、より望ましい仕方で子どもの存在と自律性を肯定してあげられるケースは数多く存在する。

こうした観点から、「親になる」こととはどのようなことか、子どもにとって望ましい親とは何かを再考する余地があるだろう。

2 子どもにとって親とは？

子どもは生みの親のもとで育つべきか

本章前半では、親にとって子どもを産み育てることがいかなることなのか、親子関係が子どもの私物化になってしまうのは、どのような現実の歪みに起因するのかを考察した。今度は、子どもにとって親とはいかなる存在なのかを考えてみたい。

議論の手がかりとなるのは、生殖補助医療技術の導入等によって問題となっている子どもの「出自を知る権利」である。

家族のあり方が多様化していると言われている現代ではあるが、子どもとの間に「血」のつながり――遺伝的なつながり――を求める傾向はなお根強い。日本では2015年度に5100１人が生殖補助医療技術によって生まれたが、その多くは配偶者の卵子と精子を受精させる人工授精であり、非配偶者間人工授精（ＡＩＤ）の割合は極めて少ない[*19]。

不妊治療の利用の増加とは対照的に、遺伝的なつながりのない子どもと養子縁組をするケースは減少傾向か横ばいの状態が続いている[*20]。いわゆる「実子」と「養子」を峻別し、前者を特権視する風潮はなお根強く、養子縁組が増えない要因の一つとなっている。

様々な事情で生みの親と共に生活することができない子どもを、彼らと共に暮らせるようになるまで、あるいは自立できる年齢になるまで、一般家庭で養育する里親制度も、厚生労働省が推進しているにもかかわらず、一般に浸透していない[*21]。親の病気、経済的な理由、虐

＊19　非配偶者間人工授精とは、例えば無精子症など男性不妊のケースで、夫婦以外の匿名提供者から精子提供を受けて行う不妊治療であり、日本では1949年に第一例が誕生して以来、累計15000人以上が生まれているとされる。

＊20　野辺陽子『養子縁組の社会学』、28頁。日本では、「家」の存続のために養子をとるという伝統が存在し、普通養子縁組制度に受け継がれたが、これとは別に子どもの福祉を目的とした特別養子縁組制度が1987年につくられた。普通養子縁組の許容件数は年々減少傾向にあり、特別養子縁組の許容件数は2000年以降、300件前後で横ばいの状態が続いている。

＊21　里親制度の委託里親数は、2016年の時点で4038世帯（前年3817世帯）、委託児童数は5190人（前年4973人）にとどまっている。厚生労働省ＨＰ「里親制度等について」参照。

待などによって親と一緒に暮らせない子どもたちは、日本に約45000人いると言われているが、そのうち、里親家庭で暮らしている子どもたちは約6000人にとどまり、約39000人が児童養護施設や乳児院で暮らしている。

日本の里親委託率（12・0％）は、上位のオーストラリア（93・5％）や香港（79・8％）と開きがあるだけでなく、下位の韓国（43・6％）等と比べても低く、OECD諸国のなかで最低の水準である。[*22] 日本にはいまだに、子どもは生みの親のもとで育つべきという親子観が根強く、生まれてきた子どもを社会全体で育てる「社会的養護」という考えが受け入れられていない。

こうした支配的な親子観のもと、近年、生殖補助医療や養子縁組・里親双方に関して子どもの「出自を知る権利」が議論の俎上にあがっている。

生殖補助医療においては、これまで、カップルに精子提供や卵子提供をする第三者の匿名性が守られてきた。しかし、近年では「提供者の個人情報を知ることは精子・卵子・胚の提供により生まれた子のアイデンティティの確立などのために重要なもの」（厚生労働省）と主張され、提供者の匿名性を廃止する方向に傾きつつある。

また、「養子縁組や里親においては、かつては子どもに出自を隠し、生みの親との交流を断絶させることが子どもにとって良いとされてきたが、現在では反対に、子どもに生みの親の存在を明らかにするほうが子どもにとって良いという考え方が優勢になってきている[*23]」。

子どもの「出自を知る権利」については、概して「生物学上の親について確認したい」という子どもの強い欲求が存在し、生物学上の親を知ることが子どものアイデンティティの確立に必要だという前提のもと、子どもの福祉を目的として主張される。「子どもはできる限りその父母を知り、かつその父母によって養育される権利を有する」とする「子どもの権利条約」第7条にその根拠が求められることもある。

自分の出自を知る権利が子どもにあるという考えは、一見すると正しいように見える。しかし、生物学上の親について知ることは子どものアイデンティティの確立にとって、いかなる意味で重要なのだろうか。そして、出自を知りたいという子どもの欲求は、どこまでその子ども自身の欲求と言えるのだろうか。

アイデンティティと親を知ること

なぜ、子どもがアイデンティティ――自分が何者であるかについての認識――を形成するために、生物学上の親を知る必要があるのか。

＊22 数値は2010年のもの。日本こども支援協会ＨＰ参照。https://npojcsa.com/foster_parents/social_care.html
＊23 野辺陽子『養子縁組の社会学』、31頁。

倫理学者のデイヴィッド・ヴェレマンは、（1）親との類似性に基づく自己知と（2）自分の生を物語る観点や文脈としての出自という二つの理由を挙げている。[*24] とりわけ、前者の論点は、子どもがたんに生物学上の親の情報を得るだけでなく、生物学上の親に会って直接知ること（acquaintance）が必要だとしている。

（1）子どもが自分の能力や特徴を知るためには、たんに自分を観察するのではなく、自分に似ている人を通して自分を見ることが必要である。大抵の場合、人は身近にいる両親やきょうだいとの類似や相違を通じて、自分について直観的に知るようになる。そのため、「生物学上の親族を誰も知らないというのは、〔自分を映し出す〕反射面のない世界のうちで、つねに自分には盲目のまま、さまようようなことだ[*25]」。

（2）子どもは生物学上の親や祖先を知ることで、自らの行為や生を両親や祖先から続く物語のなかに位置づけ直し、この物語的な統一性のなかで自己のアイデンティティを形成することができるようになる。

ある人のアイデンティティは、当人が選択して獲得してきたもの（学歴や職業）に限られないし、その人の一生だけに閉じているわけでもない。例えば、自らの人種的アイデンティティや民族的アイデンティティは、自分で選択したわけではなく、いかなる生物学上の親のもとに生まれたかと切り離せない。出自について知ることは、自分のライフ・ストーリーを一個人の人生を超えたより広い文脈——家族の歴史《ファミリー・ヒストリー》——のもとで理由づけ、人種や民族を自らのアイデンティティとして引き受け直すことを可能にする。
実際、自分のアイデンティティに疑問を抱いてきた人々が、自身の「ルーツ探し」によって、よりふさわしいアイデンティティを構築し直すことがある。例えば、日本軍政下のインドネシアで生まれたある日系オランダ人は、日本人の父親を突きとめ、自分が生まれた経緯を知ることで「日本人の子」としてのアイデンティティを再発見するに至る。[*26] 中国残留邦人三世の人々は、一世や二世への聴き取りを通じて、「三世」としてのアイデンティティを再構築したりすることがある。[*27]
こうした人々は、祖先や生物学上の親との関係を知ることによって、自分のアイデンティティを物語る観点を得られたのだと言うことができる。自分の出自を知る可能性が閉ざされてしまうと、自分の生をより広い文脈のなかに位置づけ、自分が（意図することなく）置かれていた状況を再解釈して、自分一人の観点からは見えてこなかった意味を、自らの生に与え直すことが困難になってしまう。
確かに、自分の祖先や出自に関心をもたない人も少なくない。しかし、そうした人も「自

＊24 J. David Velleman, Family History, in: *Beyond Price*.
＊25 J. David Velleman, Family History, in: *Beyond Price*, p. 70.
＊26 BS1スペシャル『父を捜して――日系オランダ人　終わらない戦争』
＊27 ETV特集『わたしは誰　我是誰――中国残留邦人3世の問いかけ』

自分がどこから来たのか」を知っていることで、すでに何がしかの恩恵を得ている。また、自分の祖先や親のようにはなりたくないと思っている人も、まさに彼らを「反面教師」にすることができるという点で、出自についての知識の重要性を示している。[*28] 自分の出自を知らなければ、祖先の生き方や祖先から引き継ぐアイデンティティを価値あるものとみなすことと同様、そうした価値観を批判したり、それに抗ったりすることもできなくなるのだ。

以上のように考えると、匿名の形で卵子や精子を提供することも、そうした提供を受けて子どもをつくることも、生まれてくる子どもが生物学上の親を知ることを不可能にし、子どものアイデンティティ形成にとって重要な生物学上の親子関係を断ち切ってしまうことになる。出自を知る権利をすべての子どもに認めることは、子どもがこうした不利益を被らないために必要だと考えられるだろう。

また、こうした考えに従うと、養子縁組の場合も、生みの親が誰かわかり、生みの親に会えることは子どもに必要であり、養親がそれを妨げることは道徳的に間違っているということになる。その場合、養子にとっては、生みの親との関係を断つことなく、養親や養子が生みの親と交流して養育がなされる「開かれた養子縁組」（open adoption）が望ましいということになるだろう。

生物学上の親にこだわる必要はない――「自然な核家族」図式に抗して

ヴェレマンの議論は、血縁や生物学上の親子関係が重視される背景について、多くのことを教えてくれる。けれども、こうした見方は、生物学上の親子関係が子どものアイデンティティ形成にとって必要不可欠だとみなすことで、血縁を特権視する親子観を正当化したり、再生産したりすることにつながりかねない。

生物学上の親を知ることが、そこまで重要視される必要があるのだろうか。そして、子どもからその機会を奪うことが、道徳的に間違っているということになるのだろうか。哲学者のサリー・ハスランガーは、二人の黒人の養子を育てた白人女性として、ヴェレマンの二つの論点に反論し、血縁を特権視する親子観を批判する方途を探っている。[*29]

（1）類似性に基づいて自分について直観的に知る際に、子どもが依拠しているのは、生物学上の親きょうだいだけではない。通常は、それ以外にも、友達、絵本やアニメの登場人物、スポーツ選手や有名人といった数多くの手がかりがある。

重要なのは、子どもの周囲に、自分の個性や特徴を映し出してくれる親しい人がいるとい

＊28　J. David Velleman, Family History, in: *Beyond Price*, p. 78.
＊29　Sally Haslanger, Family, Ancestry, and Self, in: *Resisting Reality*.

うことであり、こうした人が生物学上の親である必要はなく、養親や里親やその家族でも構わないはずだ。

また、血縁を特権視する親子観が支配的な社会においては、親子間の外見上の類似性がもっぱら重視され、その他の類似性が見えなくなってしまっている可能性がある。ハスランガーは、彼女と黒人の養子アイザックが似ていると告げて、この可能性を教えてくれた女性の友人の例を挙げている。その友人は、人種の違いから息子と「似ている」と言われたことがなく驚いた彼女に、次のように述べたという。

> 私はいつも私の息子たちが私に似ていると言われる。私は彼らが私に似ているとは全然思わない。だって彼らは男の子だから。でもこのことは、人々が親子の類似性を探すときには、問題にならないみたい。アイザックがあなたに似ていると人が思わないのは、彼が黒人であなたが白人だから。肌の色は、人が親子の類似性を探すときには問題になる。でも実際にアイザックの特徴に注意するなら、彼はとてもあなたに似ている。[*30]

親子の間のどのような類似性が浮かび上がるかは、その社会でどのような類似性が重視されているかに左右される。ハスランガーとアイザックには、身体面での類似性が見られないにしても、感情や気性の面での類似性が見られる。けれども、後者の類似性は、人種を重要視する社会においては、二人の人種の違いによって容易に覆い隠されてしまう。生物学的な親子間の類似性を自明視することは、こうした支配的な見方を強化し、より重要であるかもしれない他の類似性を見えづらくしてしまうのだ。

（2）自分の生を物語る観点や文脈としての出自という点についてはどうだろうか。例えば、生まれたときに祖父母がすでに他界していたなどして、彼らを直接知ることができなくても、親や親戚からの伝聞を通して、彼らから続く自分の物語を紡ぐのはそこまで困難ではない。

これと同様に、生物学上の親を直接知ることがなくても、匿名の第三者からの精子や卵子の提供によって生まれた子どもや養子は、生物学上の親について育ての親がもちうる情報や、育ての親が自分を育てるに至った経緯などから自分に通じる物語を描くことができる。

さらに重要なのは、往々にして、周囲の人々や自分によって語られる自己の物語が、親との関係や自分の過去との関係を特定の型にはめて理解させる文化的な図式に従っているということだ。北米でも日本でも支配的なのは、「自然な核家族」（natural nuclear family）図式と呼ばれるものだ。それは以下のことを「自然」で「普通」なこととみなす。

＊30 Sally Haslanger, Family, Ancestry, and Self, in: *Resisting Reality*., p. 170.

（1）男女が愛し合って結婚し子どもが生まれる
（2）子どもは両親の性質を受け継いで生まれる
（3）両親は自然に愛情をもって子どもの世話をする
（4）子どもは生みの親に育てられることで自然に育つ

これらは「自然」なことでも「普通」なことでも全くなく、親子関係に関するある種の「神話」にすぎない。しかし、この図式は広く浸透しているため、養親や養子もそれにしばしば囚われてしまう。例えば、養親は「自分の生んでない子を本当に愛せるだろうか」とか「血でつながってないと駄目なのか」と悩んだり、養子は「実の子ではないから厳しく育てられている」と思ったりすることがある。[*31]

確かに「自然な核家族」図式が支配的な社会では、生物学上の親を知らない子どもは、不利益を被りかねない。この図式にあてはまらないことで周囲から負の烙印を押されると、様々な差別を受けることがある。

こうした現状に対抗するためには二つの戦略が考えられる。一つは、子どもに出自を知る権利を保障することで、「自然な核家族」図式に自らをあてはめるための手段をすべての子どもに与えるというものだ。もう一つは、この図式に抵抗するために、出自を知る権利をあえて認めないことで、それが不要となる社会を目指すというものだ。

出自を知る権利を認めるべきか？

出自を知る権利を子どもに認めることは、「自然な核家族」図式に基づいた差別や偏見のリスクを回避するためには有効ではある。

生殖補助医療や養子縁組の場合だけでなく、この権利がすべての子どもに認められるなら、例えば日本や東アジアの基地に駐留中、現地の女性との間に子どもをもうけながら、親の責任を果たさぬまま帰国する米国軍人や、日本で働くフィリピン人女性との間に子どもをもうけながら、親の責任を果たそうとしない日本人男性[*32]などの責任を追及することが可能となるかもしれない。

その一方で、出自を知る権利を認めることは、「自然な核家族」図式を普遍的で最良のものとして再強化し、この図式に該当しない家族のあり方——養子家庭、シングル家庭、同性カップルと子どもからなる家族——を劣ったものとみなしたり無視したりすることにつながりかねない。また、子どもが生みの親の情報を得て親に会えたとしても、それが子どもの利

＊31　野辺陽子『養子縁組の社会学』、207頁、252頁。
＊32　野口和恵「『日本の父』に会いたいと願う子どもたち。『フィリピンの母』の苦悩と誇り」（『ニッポン複雑紀行』所収）参照。

益となるかどうかは定かではない。[*33]

では、「自然な核家族」図式が「神話」や「フィクション」にすぎないことを明らかにし、生みの親に執着する人々に対して、そうした神話に囚われる必要はないと諭《さと》せばよいのだろうか。この第二の戦略は、知らぬ間に「自然な核家族」図式に基づいて自分や他人の家族を見ている人々に対して、その一面性や歪みを指摘する点では有効である。

例えば、養子として育った子どもが、「自分の家族関係のなかでは特に悩むことがない」が、血縁関係を特権視する社会のなかで疎外感を覚える場合、[*34]問題となっているのは「自然な核家族」図式に無自覚に乗っかって（血液型や親子の類似性について）会話をしたり他人を判断したりする周囲の人々の見方なのだ。

しかし、「自然な核家族」図式が神話にすぎないのだとしても、子どもがもつ生みの親への執着そのものは、単なる幻想や思い込みとは言えない。生みの親に執着する人々は、「自然な核家族」図式を心から信じてそれに自分をあてはめようとしているというよりも、この図式から外れたために一度否定された自分の生を、語り直すことで再構築しようとしているのではないか。

例えば、倫理学者の小西真理子が指摘するように、[*35]親から虐待されたにもかかわらず「親をかばい続ける子どもたちは、時に自らの生をもって、相手の語る物語に抵抗している」可能性がある。その場合、親をかばうことは、親の虐待を「正当化」することを必ずしも意味しない。
親が自分にしてきた・している虐待行為を正当化することは、自分が生きてきた・生きている現実から目を背け、自分自身を危険に晒すだけでなく、愛情があるなら虐待は許されるといった歪んだ考えを是認しかねない。ベル・フックスは、こうした危険性を次のように指摘している。

心理的にまた／あるいは身体的に虐待を受けた子どものほとんどは、養育者によって愛は虐待と共存できると教えられてきた。そして極端な場合、虐待は愛の表現であると教えられてきた。この誤った考え方が、しばしば私たち大人の愛の認識を形成している。それゆえ、子どものとき自分を傷つけた人々が自分を愛していたという考えにしがみつくように、私たちは他の大人に傷つけられることを、彼らは自分を愛しているのだと主張することによって、正当化しようとする。[*36]

＊33　例えば、元駐留米軍の父親を探し出して面会しても、失望させられるケースは少なくない（スティーヴン・マーフィ重松『アメラジアンの子供たち』、220－227頁）。
＊34　野辺陽子『養子縁組の社会学』、263－264頁。
＊35　小西真理子「共依存の倫理　親をかばう子どもたち」（『現代思想』2019年9月号所収）、189頁。
＊36　ベル・フックス『オール・アバウト・ラブ』、33－34頁。

けれども、生みの親に執着するなと周囲がどれだけ言っても、親との関係にもがき苦しんでいる子ども――親の虐待に苦しめられたり、犯罪をおかした親のせいで辛い幼少期を過ごしたりした子ども――の助けにはならない。

実際、親との関係を断ち切るのは容易ではない。親との接触がなくなったとしても、周囲の人々は何かにつけて「親に似ているはず」といったまなざしを向けてくる。また、幼少期に親の支配が強かった子どもほど、自分の人生全体や一挙手一投足に親の影がつきまとうかもしれない。

こうした親子関係は、「親と自分は関係ない」と思うことで断ち切れるものではない。それは、生みの親による反応や接し方とは異なる経験をするなかで、例えば日常的に虐待を受けていた子どもは、お皿を割ってしまったとき、ただ叱られるのではなく、里親から「けがしなかった?」と声をかけられることで、一つひとつ克服されていくものだろう。

こうした経験の積み重ねを通じて、子どもたちは自身が経験してきた親子関係を相対化して見られるようになる。その結果、ある子どもは「自分は生みの親の子どもではない」と言えるようになったり[*37]、またある子どもは犯罪者の父親との類似性をポジティブに捉え直し、「親の操り人形」であることをやめることができるようになったりする[*38]。

自己の物語を語り直す

このような視点から見えてくるのは、子どもにとっては、「自然な核家族」図式に従うか否かよりも、それが自己の物語を語り直すために有効か否かの方が重要だということだ。実際、支配的な親子観に苦しめられてきた人々や苦しめられる恐れがある人々は、「自然な核家族」図式を利用して場を乗りきるときもあれば、そうした図式をずらして新たな物語を生み出すときもある。

例えば、里子を育てる晴佳さんは、近所の人から「親子なのに、ちっとも似ていないのね」と言われたときには、「そうなのよ。でもね、実家の弟にそっくりなの」と返答して、子どもを好奇の目から守ろうとする。その一方で、里子のタクミくんは、自分が晴佳さんから生まれたのではないという話を聞いて、里親夫婦がサンタクロースにお願いした「卵」から自分が生まれたという物語を語ることで、この事実と折り合いをつけようとする。[*39]

これらはいずれも「フィクション」であるが、出自を知る権利に訴えたり、「自然な核家

＊37　ザック・エブラヒム、ジェフ・ジャイルズ『テロリストの息子』、175頁。
＊38　張江泰之『人殺しの息子と呼ばれて』、150－151頁、178頁、189頁。
＊39　村田和木『「家族」をつくる』、78－79頁。

族」図式に全面的に抵抗したりするのとは異なる可能性を示唆している。

そもそも、私たちが自分の人生を物語るとき、そこにはある種のフィクションとしての性格が入り込まざるをえない。哲学者のポール・リクール（1913-2005）が指摘するように、人生においては自分が物語の主人公であると同時に語り手であるため、物語の始まりを自分で語ることができない。「記憶は、おぼろげな幼児期のうちで途絶えてしまうし、私の誕生やましてや私を身籠ることになった行為は、私自身よりも他人たちの物語に、この場合は両親の物語に属するものである[*40]」。

私たちの記憶には限界があるため、自分の生まれや幼少期については、親や周囲の人々の記憶や話に頼らざるをえない。彼らの物語には、しばしば記憶違いや誇張、さらには歪曲も含まれるが、物語られる本人はそれが正確かどうかを自分だけでは確かめようがない。「現実の人生のまさにこぼれ落ちていく性格ゆえにこそ、われわれは事後的に回顧しつつ現実の人生を設計していくために、フィクションの助けを必要とする[*41]」とリクールは指摘する。

自己の人生の全容を自分だけで正確に把握することができないがゆえに、本章前半で見たように、親が子どもの出生を否定的な仕方で物語ることは、子どもにとって抵抗しようのない存在否定を意味する。けれども、こうした物語のフィクション性ゆえにこそ、子どもには、親や周囲の人々によって自分の出生に与えられた否定的な意味を、取り除いたり、異なる仕方で解釈し直したりする余地が残されている。

例えば、親の知り合いから話を聞いて、親が過酷な状況にいたことを知れば、その状況のなかで自分を育ててくれたことに親の愛情を見出したり、親が自分に充分な愛情を注げなかったのは仕方のないことだと意味づけたりすることができる。

先に触れた「ルーツ探し」においても、子どもたちにとって重要なのは、生みの親に直接会うこと以上に、生物学上の両親がいかなる事情で出会って自分が生まれ、現在の自分に至ったかという経緯を知り、自分の物語を語り直すことであると考えられる。

両親がすでに亡くなっている場合であっても、彼らがおかれていた状況を詳しく知ることで、彼らの選択や行為を別様に解釈できるようになり、自分を生み出した彼らを許すと同時に、自分自身の存在を受け入れることが可能となる。哲学者の入谷《にゅうや》秀一の表現を用いるなら、「事実としての過去は変わらないが、言葉をはさむことで、過去への愛着の仕方が変わる」[*42]のだ。

例えば、中国残留邦人三世として生まれた人々は、自分の祖父母が戦後中国に取り残され、その後日本に来た経緯を知ることで、幼少時は恥ずかしかったり隠したいと思ったりした中国語を話す親や自分の素性を異なる仕方で解釈できるようになり、社会的差別や偏見のため

＊40　ポール・リクール『他者のような自己自身』、207頁。
＊41　ポール・リクール『他者のような自己自身』、209頁。
＊42　入谷秀一『バイオグラフィーの哲学』、128頁。

に卑下しがちであった自分の存在を「三世」として肯定し直す物語を紡ごうとする。[*43]

こうした語り直しの余地は、「自然な核家族」図式から外れる人たちだけでなく、それにあてはまるように見える人たちにもある。

ごく普通で幸せそうに見える家族においても、夫婦関係や親子関係やきょうだい関係がぎりぎりのところで維持されていたり、子どもが親には見えない苦しみを抱えていたりすることがある。[*44] 家族生活は、必ずしもすべてを打ち明けたり、一切の気遣いなくいられるものではなく、多分に虚勢やごまかしを孕み、互いに本音を隠していたりするからだ。[*45] そこで隠されたり繕われたりしている現実は、親の離婚や介護、子どもの非行、親きょうだいや子どもとの死別等の場面でいつかは向き合わざるをえないものである。にもかかわらず、私たちはつい波風を立てないようにしがちだ。

また、自分が育ってきた親子関係は絶対的なものではなく、新たな「親」や「子」との出会いによって相対化されたり、再評価されたりしうる。例えば、結婚後に義理の父母となった人に自分のことを肯定してもらって自尊心が再形成されていったり、逆に否定されて抑え込んでいた不安が露わになったりすることもある。

「自然な核家族」図式を問い直すことは、親子のしがらみに苦しむ子どもたちに「家族にこだわる必要はない」などと大上段から助言することではない。それはむしろ、この図式に支えられたり、それによって時に見えなくされたりしてきた私たち自身の親子関係やそこで育まれた自己を見つめ直すことに他ならない。

周縁化されやすい家族のあり方や、そこで生きる人々の経験に目を向けることは、自分が生きてきた親子関係の歪みやごまかしを直視することにつながるかもしれない。

タクミくんを里子に迎えた晴佳さんの母親は再婚し、その継父をタクミくんは「ジージ」と呼んでなついている。家族のなかで唯一血のつながりがなかった継父は「タクミが来てくれて、俺はようやく家族の一員になれた」と語ったという。[*46] 彼らが紡ごうとしているのは血縁関係とは異なる家族の物語である。こうした物語は、血縁を特権視する物語を相対化し、私たちが「親子」や「家族」とみなしているのは、いかなるものなのかを再考することを促すだろう。

＊43 ETV特集『わたしは誰　我是誰——中国残留邦人3世の問いかけ』。
＊44 ドキュメンタリー映画『アヒルの子』（小野さやか監督、2010年）。監督自身とその家族を撮ったこの作品は、視聴者を自らの家族に向き合わせる力をもつ。
＊45 映画『歩いても 歩いても』（是枝裕和監督、2008年）は、こうした家族のあり様を鮮やかに描き出している。
＊46 村田和木『「家族」をつくる』、78－79頁。

参照資料

〔邦語文献〕

有馬斉『死ぬ権利はあるか——安楽死、尊厳死、自殺幇助の是非と命の価値』、春風社、2019年

上間陽子「家族をつくる——沖縄のふたつの女性の調査から」、『現代思想』（特集「エスノグラフィ：質的調査の現在」）、2017年11月号所収

ウォルツァー、マイケル『正義の領分——多元性と平等の擁護』、山口晃訳、而立書房、1999年

内田良『「児童虐待」へのまなざし——社会現象はどう語られるのか』、世界思想社、2009年

エブラヒム、ザック&ジャイルズ、ジェフ『テロリストの息子』、佐久間裕美子訳、朝日出版社、2015年

小川たまか「共働き家庭の子どもは『かわいそう』ですか？」2014年6月18日 https://news.yahoo.co.jp/byline/ogawatamaka/20140618-00036476/

Create Media編『もう家には帰らない』、角川書店、2000年

小西真理子「共依存の倫理 親をかばう子どもたち——虐待経験者の語りを聴く」、『現代思想』（特集「倫理学の論点23」）、2019年9月号所収

中真生「『母であること』（motherhood）を再考する——産むことからの分離と『母』の拡大」、『思想』1141号、2019年所収

中村佑子「私たちはここにいる——現代の母なる場所」、『すばる』2018年2月号〜2020年2月号所収

西澤哲『子ども虐待』、講談社、2010年

日本こども支援協会 https://npojcsa.com/foster_parents/social_care.html

入谷秀一『バイオグラフィーの哲学——「私」という制度、そして愛』、ナカニシヤ出版、2018年

野口和恵「『日本の父』に会いたいと願う子どもたち。『フィリピンの母』の苦悩と誇り」、『ニッポン複雑紀行』、2018年11月1日 https://www.refugee.or.jp/fukuzatsu/kazuenoguchi01

野辺陽子『養子縁組の社会学——〈日本人〉にとっての〈血縁〉とはなにか』、新曜社、2018年

張江泰之『人殺しの息子と呼ばれて』、角川書店、２０１８年
フックス、ベル『オール・アバウト・ラブ――愛をめぐる13の試論』、宮本敬子・大塚由美子訳、春風社、２０１６年
マーフィ重松、スティーヴン『アメラジアンの子供たち――知られざるマイノリティ問題』、坂井純子訳、集英社、２００２年
村田和木『「家族」をつくる――養育里親という生き方』、中央公論新社、２００５年
森岡正博「誕生肯定とは何か――生命の哲学の構築に向けて（３）」、『人間科学』第６号、２０１１年所収
リクール、ポール『他者のような自己自身』、久米博訳、法政大学出版局、１９９６年
ロールズ、ジョン『正義論』、川本隆史・福間聡・神島裕子訳、紀伊國屋書店、２０１０年

〔外国語文献〕

Asch, Adrienne, Why I Haven’t Changed My Mind about Prenatal Diagnosis: Reflections and Refinements, in: Erik Parens & Adrienne Asch (edd.), *Prenatal Testing and Disability Rights*, Washington D. C.: Georgetown University Press, 2000.
Blustein, Jeffrey, *Parents and Children: The Ethics of the Family,* New York: Oxford University Press, 1982.
Brighouse, Harry & Swift, Adam, *Family Values: The Ethics of Parent-Child Relationships,* Princeton: Princeton University Press, 2014.
Haslanger, Sally, Family, Ancestry, and Self, in: *Resisting Reality: Social Construction and Social Critique,* Oxford: Oxford University Press, 2012.
Velleman, J. David, Family History, in: *Beyond Price: Essays on Birth and Death,* Cambridge: Open Book Publishers, 2015.

〔映像〕

『アヒルの子』、小野さやか監督、２０１０年

『歩いても 歩いても』、是枝裕和監督、２００８年

『そして父になる』、是枝裕和監督、２０１３年

『わたしは誰　我是誰──中国残留邦人３世の問いかけ』（ＥＴＶ特集２０１８年9月22日放映）

『父を捜して──日系オランダ人　終わらない戦争』（ＢＳ１スペシャル２０１７年10月8日放映）

第4章

難民

受け入れるべき責任を負うのは誰か？

1 シンガーによる思考実験

難民受け入れの是非を考えるために、哲学者のピーター・シンガーは、次のような思考実験を提唱している。[*1]

核戦争の影響で放射性物質によって汚染された地上から、自分が事前に投資していたシェルターに避難したとしよう。避難後、8年たてば放射線は地上から消え、シェルターから出られることが判明する。シェルターの外には、シェルターに投資していなかった人々がシェルターへの受け入れを求めており、放っておくと放射線の影響で死ぬ確率が高い状態にある。シェルターには居住者1万人が20年間生活するための物資があるので、一定数の人を受け入れることは可能な状況である。シェルターの居住者には、3つの選択肢がある。

（1）10000人受け入れる。居住者は贅沢な暮らしができなくなる。
（2）500人受け入れる。居住者の生活レベルは落ちない。
（3）受け入れない。

あなただったら、どれを選ぶだろうか。

＊1　ピーター・シンガー『実践の倫理』、297－299頁。

「受け入れない」に限りなく近い日本

この思考実験は、難民受け入れに関連する複雑な要素をあえて除外して、命の危険から逃れてきた難民を、どこまで自国に受け入れるべきかという問いをシンプルに考えさせるものだ。大抵の人は（1）を選ぶはずだとシンガーは考えるが、実際に思考実験をやってもらうと、彼の期待に反して、（3）を選択する人は少なくない。

その理由は、「シェルターに投資した居住者だけが住む権利がある」というものから、「誰を受け入れるべきかの基準が明確でないため、不公平な受け入れをするくらいならそもそも誰も受け入れない」といったものまで様々だ。

こうした反応は、難民に対する日本人の態度をよく表しているのかもしれない。というのも、日本の難民受け入れの現状は、後述するように（3）「受け入れない」に限りなく近い（2）「ごく少数受け入れる」であると言えるからだ。

「難民」と聞くと、遠く中東やヨーロッパで問題となっていることだと思う人も多いだろう。シリアなどからヨーロッパを目指す難民については日本でも度々報道され、そうした姿に私たちは同情したり、日本に来たらどうしようと不安を覚えたりする。実際には、すでに日本にも自国から逃れてきた人が数多く来ており、日本政府に難民として認めてもらえるよう難民申請をしている。しかし、ほとんどの申請は却下されている。

２０１８年度、日本に難民申請をした人は１０４９３人にのぼった一方で、わずか42人しか難民として認定されなかった。日本で難民申請をする人の多くは、就労を目的とした「偽装難民」だと言う人もいる。しかし、次のような事例も数多く存在する。

内戦が続くシリアから日本に渡った男性が日本政府に難民認定を求めた訴訟の控訴審判決で、東京高裁は25日、訴えを退けた一審東京地裁判決を支持、男性の控訴を棄却した。男性は２０１２年に来日したヨセフ・ジュディさん（34）＝さいたま市。「シリアで反政府デモに参加し、自宅を訪れた治安部隊が母親を殴った。身の危険がある」として難民申請したが、認められなかった。

高裁の村田渉裁判長は、ジュディさんの主張を裏付ける証拠がなく「迫害の恐れを抱く客観的事情が認められない」と判断した。（２０１８年10月25日共同通信社）

こうした事例に見られるように、日本の難民認定は極端なほど厳しいと言われている。豊かで安全な国というイメージをもって日本に身一つで逃れてきた多くの人々が、国からの支援もほとんどなく、就労もできない悲惨な状況におかれている。*2

こうした日本国内の難民の現状に対して、私たち一人ひとりはいかなる責任を負っているのだろうか――本章は、こうした問いから難民について、私たちが自分自身で考える可能性を模索する。後述するように、なぜ、そしてどの程度難民を受け入れるべきかという議論は繰り返し論じられてきたものの、そうした議論は私たち一人ひとりの責任という視点を欠くなら、内容空疎になってしまいかねないからだ。

言うまでもなく、難民問題には様々な角度から接近することが可能だし、必要である。本章では、難民発生の背景を国際政治の文脈で議論したり、難民に対する処遇の妥当性を法律上の観点から議論したりすることはしない。また、いわゆる「右寄り」・「左寄り」の立場から、難民受け入れの是非を問うことも本章の目的ではない。

むしろ、日本に逃れてきた人々の苦境が、「難民受け入れの是非」という問題に逸らされ、こうした問題を議論する私たち自身が「冷ややかな傍観者」となってしまっていることに目を向けたい。シンガーの思考実験もまた、ある重要な事実を見落としてしまっており、それによって私たちと難民が生きる現実を歪めてしまっている――この点に本章の末尾で立ち戻りたい。

＊2　日本に逃れてきた人々の窮状や彼らに対する政府の非人道的な処遇は、数々のドキュメンタリーに描かれている。例えば、ETV特集『バリバイ一家の願い』等を参照。

1 難民問題とは何か？

難民と移民の違い

最初に、よく混同される難民と移民の区別について説明しておきたい。難民（refugee）とは一般に、戦争や政治的ないし宗教的迫害などの危険から逃れるために、住んでいた土地から避難した人々を指す。例えば、ユダヤ人という集団に属するとみなされたがゆえにナチスから迫害され、ドイツ等から逃れたユダヤ難民がわかりやすい。

これに対して、「移民」（immigrant）とは、主として経済的な事情（生活や仕事）のため、通常の居住地以外の国に移動し、居住する人々を指す。いわゆる「入管法」の改正（2018年12月8日）の際に争点となった外国人労働者は「移民」にあたる。実際には、難民と移民の線引きが難しいケースも存在するが[*3]、難民受け入れを考えるにあたっては、まずは難民と移民との区別をおさえておくことが肝要だ。

難民問題の現状

国連難民高等弁務官事務所(UNHCR)によると、難民の数は近年増加の一途をたどり2018年末の統計では7080万人を超えた。この数字はタイやトルコの総人口に匹敵し、2秒に1人が紛争や迫害、暴力等により避難を強いられたことになる。主な難民発生国については191頁の図1を見るとわかるように、第二次大戦後最悪の難民問題と言われているシリア難民の多さが目を引くが、ここ数年では南スーダン、ミャンマーのロヒンギャ難民が急増している。

日本における2018年度の難民申請数は10423人(前年19623人)にのぼったが、難民として認定されたのはわずか42人(前年20人)だった。難民と認定されなかったものの、人道的な配慮により在留が認められた人も40人いたが、前年の45人、前々年の97人より減少している。

すでに多方面から指摘されているように、[*4]日本は難民を保護する義務を負う難民条約を批准しているにもかかわらず、また世界で難民認定されている出身国の上位に位置する国々

＊3　錦田愛子編『移民／難民のシティズンシップ』、5頁。
＊4　日本難民支援協会「日本に来るのは『偽装難民』ばかりなのか?」、山村淳平「日本および世界における移民・難民にかんする統計」。

（例えば、コンゴ民主共和国、ミャンマー、イラン、パキスタン、中国、スリランカ）から多数の難民申請者が来ているのに、難民認定数や認定率［認定者数÷（認定者数＋不認定者数）］が他国と比べて極端に低いことが問題視されている（図2参照）。

例えば、シリア難民の認定率（2017年）は、ドイツでは38％、アメリカでは82％、オーストラリアでは94％にのぼるが、日本では、2011年から2017年の間に81人が申請しているにもかかわらず、認められた人は15人（19％）しかいない。

こうしたことの原因としては、外国人の入国を「管理」する法務省出入国在留管理庁（旧入国管理局）が難民認定審査を行い、危険から避難してきた難民を「保護」するという観点が希薄であること、審査のために日本語翻訳された膨大な「客観的」資料と、平均して2年半と言われる審査時間が必要であること等が指摘されている。

難民受け入れにまつわる様々な誤解

難民受け入れに関しては、様々な誤解が流布している。代表的なものとしては、（1）「先進国はすでに難民を充分受け入れている」、（2）「難民を受け入れると治安が悪化する」といった主張だ。

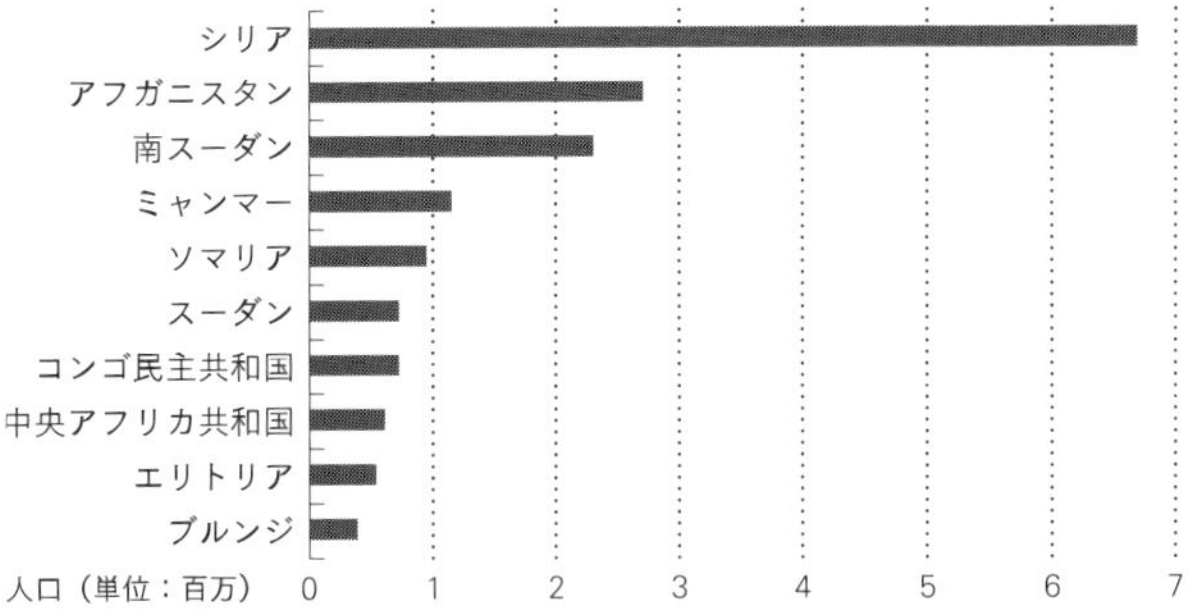

図1　主な難民発生国（2018年末）　UNHCR協会HPより

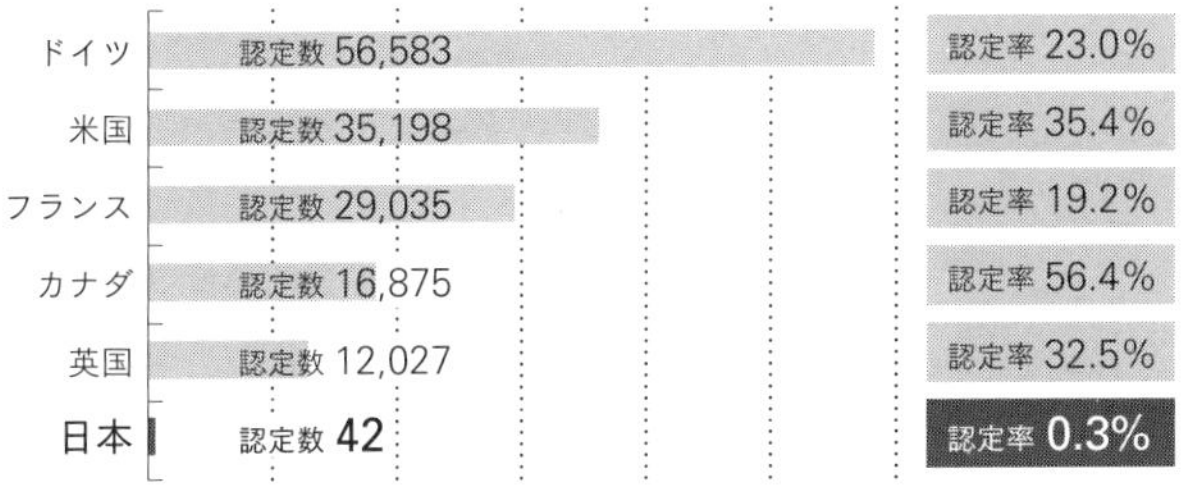

図2　難民認定数と認定率の比較（2018年）　難民支援協会HPより

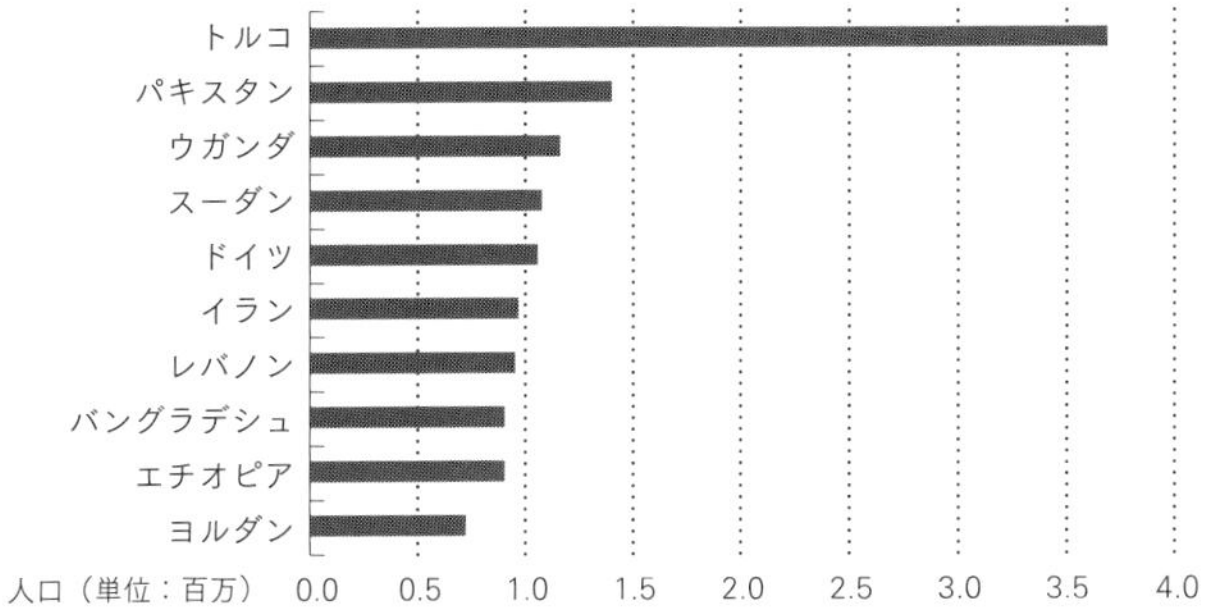

図3　難民を受け入れている国（2018年末）　UNHCR協会HPより

（1）先進国はすでに難民を充分受け入れている？

難民の約84％が開発途上国に受け入れられており、先進国は全体の16％にとどまる。トルコが世界最大の難民受け入れ国（370万人）であり、パキスタン（140万人）とウガンダ（120万人）、スーダン、ドイツと続く（前頁図3参照）。先進国の多くは、難民が自国に来ないように、難民受け入れの負担を難民発生国の周辺国や開発途上国に負わせているのが実情だ。また、こうした数字を見れば、経済的に豊かな日本が多少の受け入れをしたとしても、こうした国々以上に経済的・社会的影響が出るとは考えにくい。

（2）難民を受け入れると治安が悪化する？

大多数の難民は自国における暴力の恐怖から逃れてきた者であり、全難民のほぼ半分が18歳未満の子どもである。また、難民が最も恐れることは、受け入れ国で罪を犯す等して、自分が逃げ出してきた自国へ強制送還されることである。そうだとするなら、彼らが受け入れ国では、できる限り罪を犯さないように暮らすと考える方が理に適っている。

ドイツをはじめとして、難民を受け入れたせいで治安が悪化したという因果関係はどこでも証明されていない。[*5] 確かに、難民のなかに不法行為に走ってしまう人もいる。しかしそれは、彼らが避難した国で犯罪に走りやすい環境（貧困や孤独、就労が難しく未来が見えない状況）におかれていることにも要因があり、受け入れ後の支援の仕方に問題があると考えられる。

テロの危険は、難民を受け入れたEU等で高まっているのではと反論する人もいるかもしれない。ところが、テロのリスクを抑えるために難民認定を厳しくするべきといった主張は、重要な事実を見過ごしている。それは、日本で難民申請する人の多くは、観光ビザで来日しているということだ。

島国である日本に多くの難民申請者が来る理由の一つは、他国と比べ観光ビザがおりやすいからだと言われている。海外からより多くの観光客が来やすいように観光ビザの取得を緩くしている時点で、多数の外国人の訪日を許してしまっており、テロの危険にすでに晒されている。[*6] もしもテロのリスクを抑えたいのであれば、観光ビザの取得を厳しくしたり、東京五輪の開催を見送ったりする方がはるかに有効であろう。テロのリスクは、難民認定を厳しくするかどうかとは直接関係がないのだ。

以上のような現状を踏まえたうえで、自国に逃れてきた難民についてどのように考えていけばよいのだろうか。

＊5　ちなみに、日本における外国人の犯罪検挙数は、2005年の47865件をピークに大幅に減少し、2018年では16235件であった。

＊6　そもそもヨーロッパで起きたテロの多くが、EU圏内で生まれた人々の手によるものであり、外国人の入国を厳しくしてもテロのリスクを抑えることができるとは限らない。

2 難民受け入れの根拠をめぐる議論

命の危険から逃れてきた難民を自国に受け入れるというのは、単純に正しいことのように見えるが、その理由はどのように根拠づけられるのだろうか。

以下では、(1)難民発生の要因への関与、(2)受け入れの利害、(3)人権という三つの角度から、難民受け入れの根拠を示す議論を紹介する。三つの議論はいずれも、それなりの説得力をもっているが、それぞれに難点があることも指摘していきたい。

難民発生は誰のせいなのか?

難民を受け入れるべきと主張しようとするなら、そもそもなぜ難民が発生してしまったのか、難民発生という結果に対する責任(結果責任)を負うべき国はどこなのかを考える必要がある。もし自分の国が、難民発生の直接的ないし間接的な要因に関与しているなら、自分たちに難民を受け入れる責任があると考えるのは自然だ。

例えば、自分の国が難民たちを危険に晒した戦争に関与している場合は、その戦争から逃れた難民を受け入れる責任がある。ベトナム戦争時、ベトナムや近隣国からの何十万もの難民をアメリカ合衆国が受け入れたケースがこれにあたる。この考え方に従えば、2003年から2009年にかけて日本の自衛隊が「後方支援」したイラク戦争によって発生した難民の一部を、日本も受け入れる責任があることになるだろう。

ここまで直接的でなくとも、難民発生の要因となった紛争や内戦に、自国や自国の企業が間接的に関与していることは少なくない。例えば、日本にも近年コンゴ民主共和国から数多くの人たちが逃れてきているが、長年続くコンゴの紛争を長期化させている原因の一つとして、コルタンなどの鉱山資源が武装勢力の資金源となっていることが指摘されている。[*7]

コルタンは主として、バッテリーを長もちさせるために使われる金属であり、先進国に出回るスマートフォンやDVD、太陽電池、テレビカメラ、ノートパソコン、ゲーム機、原子力発電施設、医療機器、リニアモーターカー、光ファイバーなどを生産するのに使用されている。先進国の大企業はコルタンを安価な価格で手に入れることで利益をあげ、先進国の消費者もその恩恵を享受している。だとしたら、紛争はコンゴの人々だけの問題ではなく、そうした紛争の結果生じた難民を先進国が受け入れる責任があると言えるかもしれない。

難民発生の結果責任を問うこうした考え方は、温暖化やその結果生じた環境の変化（赤道

＊7　WIRED「なぜコンゴを血で染める戦争は続くのか？」参照

付近の国々で生じる干ばつ、バングラデシュやベトナムの洪水、キリバスやツバルにおける島の水没）によって生じた「環境難民」に対しても有効である。今日の気候変動の責任の大半は、経済発展のために膨大な量の温室効果ガスを排出してきた先進国にあると言われている。そのため、温暖化による環境変化によってもといた地域に住めなくなった環境難民を、先進国は受け入れる責任があると言える。

しかし、こうした考えに基づいて先進国は難民を受け入れるべきと主張するためには、難民発生の結果責任が先進国にもあることを明確な形で立証する必要がある。こうした立証をしたうえで、それぞれの国に、難民発生という結果への関与の度合いに応じて、責任を割り振ることは困難を極める。また、仮に自国が一切関与していない難民が来たとしたら、そうした難民を受け入れなくてもよいということになってしまう。

難民受け入れの利害とは？

難民発生に複数の国々や様々な要因が係わっている場合、難民発生の結果責任があるかないかを問うよりも、難民受け入れの利益と不利益に着目し、利益の方が大きければ結果責任がなくても受け入れるべきと考える方が生産的かもしれない。

こうした考え方は、行為の正しさをその結果によって評価し、行為の影響を受ける当事者全体の利益が最大化する行為を最も正しい行為とみなす功利主義的な考え方だと言える。*8

難民受け入れという行為の当事者は、当然ながら、逃げてきた難民と受け入れ国の国民（より直接的には、受け入れ地域の住民）になる。当事者たちの利益を考える際、功利主義は「一人は一人以上には考えない」という原則を採用する。これは、公平性の観点から見ると、例えば近親者の利益を見ず知らずの他人の利益よりも優先する（「一人以上に考える」）道徳的理由はないとするものだ。難民受け入れの場合は、同国人（日本人）の利益を外国人（難民）の利益より優先する道徳的理由はないということになる。

このように、公平な観点から、難民受け入れという行為がもたらす難民の利益・不利益、受け入れ先の住民の利益・不利益、受け入れ国の国民の利益・不利益が考慮に入れられ、全体の利益が向上するかどうかが問われる。

難民にとっての利益とは、言うまでもなく死の危険から逃れ、生活を安定させることができるという生死に関わる多大な利益だ。また、受け入れ国の国民も難民がもたらすビジネスチャンスや労働力によって利益を得る可能性がある。

受け入れによる不利益を考えると、受け入れ住民は、言語や文化や宗教が異なる人々との

*8 以下の議論は、代表的な功利主義者であるシンガーの議論に依拠している。ピーター・シンガー『実践の倫理』、第9章参照。

生活に伴う苦労が予想される（ただし、こうした生活が受け入れ住民の不利益になってしまうか否かは、受け入れ国の受け入れ体制や経済状況にも左右される）。また、受け入れ国は、難民受け入れや受け入れ後の支援のためのコストを負担したり、政治的な理由等で難民が脱出した国との関係悪化のリスクを負ったりする。[*9] 反対に、難民を受け入れないことによって、国際社会における信頼が低下するなどといったリスクも考慮に入れる必要がある。

以上のような利益と不利益を比較した場合、難民受け入れによって難民が得る利益が生死に関わる多大な利益である以上、膨大な数の難民を受け入れることで受け入れ住民の生活に支障をきたすことがない限り、受け入れの利益が不利益を上回ることになる。

こうした議論は、難民受け入れの利益と不利益を天秤にかけて、わかりやすい形で結論を示すことができる。しかし、この結論は難民を受け入れることの利益・不利益を予想するために用いられる証拠・データ・計算に左右されやすい。例えば、どのくらいの規模の難民を受け入れると受け入れ国や受け入れ住民に深刻な影響を与えるかについては、受け入れ賛成派と反対派が依拠するデータや計算も異なり、両者の間には大きな溝が生じるはずだ。

また、功利主義的な議論では、難民発生の結果責任が問われることなく、受け入れ資源がある国々や支援できる余裕がある人すべてに難民を受け入れたり、支援したりする責任が課されることになる。そのため、結局「誰が」、「誰のために」（どのような難民を優先して）、「何をするべきか」を決定することができないという難点が指摘されている。[*10]

難民は基本的人権を侵害されているか？

難民発生の結果責任や難民受け入れの利益が明確にならない場合でも、難民受け入れは人道上必要であり、窮地に陥っている難民を放っておくのは難民の人権を蔑《ないがし》ろにすることだと主張する人もいるだろう。[*11]

人権の保護を最優先するこうした考え方によれば、基本的人権を侵害されている人は、受け入れることによる不利益がたとえ利益を上回る場合でも救済されるべきである。そこで問題となるのは、何をもって「基本的人権を侵害されている」とみなすか、自国から逃れてきた人々が基本的人権を侵害されているか否かということになるだろう。

基本的人権の侵害は、「本質的ニーズが満たされていない状態」と定義される。本質的ニーズとは、人が深刻な害悪を被り、人間らしい生活を送れなくなることを防ぐために必要不

＊9　例えば、政治難民を受け入れると相手国との関係が悪化するリスクがある。日本では、トルコからのクルド人難民が難民認定されずに人道配慮の対象として扱われるのは、こうしたリスクに配慮してのことだと推察できる。また、中国国内のチベットやウイグル自治区から難民が来た場合のリスクを挙げる論者もいる（墓田桂『難民問題』、175－177頁）。
＊10　Onora O'Neill, *Justice across Boundaries*, p. 163.
＊11　以下の議論は、デイヴィッド・ミラー『国際正義とは何か』、第7章に依拠している。

可欠なものを指す。

例えば、食糧は、飢餓や栄養不良という害悪を防ぐために必要な本質的ニーズである。教育もまた、社会的に劣位に置かれたり排除されたりしないために必要不可欠なものである。これら以外にも、安全な場所、医療、身体的安全、移動可能性といった本質的ニーズが自国で侵害されているために自国から逃れた人が、基本的人権を侵害された「難民」とみなされうる。そして、彼らの本質的ニーズを満たすことができる豊かな国には、こうした難民を受け入れる責任があるということになる。

基本的人権を明確に規定したうえでそれを侵害された人を救済すべきとするこうした考え方は、「誰が救済されるべきか」について、普遍的に適用可能な基準を提示している点で説得力がある。しかしながら、難民受け入れにおいては、まさに基本的人権の「解釈」が問題となっていることを看過してはならない。

難民条約第1条A項（2）に規定されている難民の定義では、難民は「人種、宗教、国籍もしくは特定の社会的集団の構成員であること又は政治的意見を理由に迫害を受けるおそれがあるという十分に理由のある恐怖を有するために、国籍国の外にいる者であって、その国籍国の保護を受けることができない者〔…〕」と定義されている。

この難民の定義は、狭義の難民解釈と呼ばれ、難民条約が作成された1951年には想定されていなかった難民、すなわち上記の理由に基づいて迫害されたわけではなく、戦争に起因する暴力から逃れてきた難民が多数発生している現代にはそぐわないと言われている。

実際、UNHCRは、上記の基準を満たす人だけでなく、「紛争や無差別な暴力、あるいは甚大な人権侵害や公の秩序を著しく乱す事件による生命、自由及び身体の安全に対する重大な脅威のため、国籍国または常居所に帰ることができない者」という広義の難民解釈を採用するよう各国に求めている。

これに対して、日本の入管は、狭義の難民解釈に基づき、難民が自国の政府から個人的に把握され、狙われていなければ難民ではないという「個別把握論」のもと、難民認定を行っている。*12

その結果、アサド政権に抗議するデモに参加したシリア人男性が、「デモの最中に攻撃されるといった危険性があることは否定できないにしても、それはそのようなデモに参加した人一般の問題であって、異議申立人に固有の危険性ではない」という理由で不認定となった。他にも、ウガンダで野党の仲間といたときに襲われ、流産したことを記す病院の診断書まで取り寄せ、証拠として提出した女性が、野党の「指導的な立場でないから」不認定となったケースも存在する。*13

＊12　個別把握論と以下の事例については、日本難民支援協会「日本の難民認定はなぜ少ないか？」を参照。
＊13　このケースは、名古屋高裁で、一般党員も逮捕されたり、暴行されたりしているウガンダの人権状況を根拠に、「指導的な立場」でなくとも母国に帰れば命の危険があり「難民」であると判断され、勝訴したため、2016年の秋に難民認定された。

日本では、命と身体の自由を脅かされないと「迫害」と認めない傾向が強く、さらには身体の自由を奪われている場合でも認められないことすらある。例えば、ミャンマー軍の迫害から逃れた少数民族ロヒンギャが、連日身体を拘束されて強制労働をさせられたにもかかわらず、「その期間も二、三日にとどまり、食事を取ることができない場合ばかりではない」ため生存は脅かされていないとして、難民認定されなかったという事例が報告されている。

このような事例を前にすると、「基本的人権の侵害」をどれほど明確に定義したところで、恣意的ないし一方的な解釈によって骨抜きにされてしまう危険性があると言わざるをえない。また、難民審査には多大なコストがかかり、認定に関してもリスクがあることを理由に、難民条約からの脱退を提案する人すらいる。[*14] こうした提案は、個人の人権よりも国益を重視するのが当然だという考えを如実に表している。

人権の意義を否定しかねないこうした主張に対して、人権に基づいて反論しても効果がない。人権を前提とする議論は、人権をあくまで建前としてしか用いない人や、そこまで重視していない人には響かないだろう。そして、ひょっとすると日本人の少なくない数の人が、「人権を否定することは、人権を保護するために存在する国家を否定することに等しい」ということを理解していないか、信じていないのかもしれない。

だとしたら、どれほど人権に訴えても無意味なのだろうか。万人に備わる抽象的な権利としてではなく、自分たちの身近で窮状にあえぐ個々人の人生がかかっているものとして人権を実感するためには、いかなる視点が必要なのだろうか。

3 難民に対する責任？

責任の受動性と無起源性

人権が意味をもちうるのは、私たち一人ひとりが他人に感じる責任から出発することによってのみである。このように考えるフランスの哲学者エマニュエル・レヴィナス（1906－95）の責任論を手がかりに考えていきたい。

抽象的な人権論は、建前では人権の尊重を謳いながら、様々な理由をつけて相手を法的保護や道徳的配慮の範囲から締め出す人々によって、[*15] 恣意的に解釈され骨抜きにされてしまう。こうした危険に抗うためには、人権が具体的な他人の具体的な訴えにおいて現れ、その訴

＊14　墓田桂『難民問題』、179頁。
＊15　ジグムント・バウマン『自分とは違った人たちとどう向き合うか』、85頁。

えに直面して感じられる責任を通してのみ意味と効力をもつという点に立ち戻る必要がある。「このような責任を介して、人間の諸権利は具体的なもののなかで、私が責任を負うべき他人の権利として意識に現れることになる」[*16]からだ。

難民について考える際、たんに人権の解釈がどれほど詳細かつ正確かということだけでなく、この解釈を方向づける、難民との人間的な関係が形づくられているかどうかを問う必要がある。もしこの関係が欠如していたり、歪められていたりするなら、相手は人権の担い手とはみなされなかったり、相手の人権は極端に狭く解釈されたりしかねない。

では、人権に意味を与えるような、他人に対する責任とはいかなるものなのだろうか。レヴィナスは、独特な表現でそれを特徴づけている。

> 積極的に言えば、他人が私を見つめるやいなや、私にはそれに責任があるということになります。その他人に対する様々な責任を取るのでなければならないということではないにしても、他人の責任が私に課されるのです。それはまさに、私がすることの彼方へと向かう責任です。普通、人は自分自身でしたことに責任があるといわれますが、私は〔…〕責任とは最初から一つの他人のためをなすと言っています。[*17]

(1)「他人が私を見つめるやいなや、私にはそれに責任がある」——責任の受動性

この表現は、人は誰かに見られてしまったら必ず責任を感じるといった極端な考えだと誤解されてしまうかもしれない。

しかし、ここで言われているのは、「責任を感じるのは自分の選択によってではなく、相手から見つめられることによってである」、つまり「責任を感じる相手を選ぶことはできない」ということだ。責任を感じるということは、本質的に受動的な経験なのだ。

他人との倫理的係わりにおいては、性別や国籍といった相手の属性や相手との法的な関係を認知するに先立って責任を感じている。逆に、相手の属性や法的な関係の有無を認知することから出発して、例えば相手が同国人ないし自分の顧客であるから「責任を取る」なら、それは倫理的な係わりとは別種の係わりになるだろう。

他人が属性や法的な関係を介さずに、ただ取り替えのきかない「人」として私に現れているという事実が、その人に責任を感じて応答する理由となり、それ以上の理由は必要とされないのだ。[*18] こうした責任は、何も例外的な事態を意味しているわけではない。私たちは日常

＊16 エマニュエル・レヴィナス「人間の諸権利と他者の諸権利」合田正人訳、(『外の主体』所収)、204－205頁(訳は一部変更)。
＊17 エマニュエル・レヴィナス『倫理と無限』、西山雄二訳、121頁(訳文は一部変更)。
＊18 詳細な議論については、拙著『甦るレヴィナス』第3章参照。

生活の様々な場面で、知らない人に声をかけられたり、道を尋ねられたりしたときに、こうした責任に触れている。

(2)「私がすることの彼方へと向かう責任」――責任の無起源性

では、「私がすることの彼方へと向かう責任」とは、何を意味しているのか。これを考えるにあたって、アイリス・マリオン・ヤングが提起した二つの責任モデル、「帰責モデル」と「社会的つながりモデル」の区別に依拠するのがわかりやすい[*19]。

「帰責モデル」とは、「自分が引き起こした危害や不正に対して、責任がある」とする責任の見方だ。例えば、ある人が自分の過失で他人の所有物を壊してしまった場合、その賠償責任を負う。この見方は、危害や不正の責任が、過去に遡って誰にあるかを特定し、処罰したり、責任を負わせたりすることに主眼があり、過去遡及的であることにその特徴がある。

これに対して、「社会的つながりモデル」とは、過去に自分がなしたことによってではなく、「危害や不正を被っている他人と自分との社会的なつながりのために、責任がある」とする見方だ。

例えば、先進国の衣服の消費者は、開発途上国の衣服の生産者とグローバル企業を通じてつながっており、彼らが劣悪な状況で働かされている場合、そうした状況を改善するよう企業に求める責任を負っていると考えられる。これは、すでに何らかの仕方で係わってしまった他人が被っている不正や暴力にどう対処するかに主眼が置かれている点で、未来志向的であると言える。

「私がすることの彼方へと向かう責任」は、社会的つながりモデルにつながる考えだ。それは、自分が過失をおかしていなかったり、何もしていなかったりするにもかかわらず感じられる責任のこと、自分の過失という起源をもたない「無起源的な責任」を意味する。

これは、利他主義や博愛の精神と混同されてはならない。利他主義や博愛の精神は「皆がどんな人に対しても責任を負うべき」と説くが、こうした考えは、とりわけ誰に対する責任が急務か、とりわけ誰がその責任を負うべきかを明確にすることがないので、「誰も責任を負わない」という無責任に転化しかねないからだ。

私たちもまた、世界中の難民に対して責任を負っているとは言えないかもしれない。けれども、少なくとも日本に来ている難民とは、日本の行政や制度を通じてすでに社会的につながってしまっており、彼らが困難な状況におかれているとしたら、その状況を改善するよう政府に求める責任を負っていると考えられる。

以上の議論は「人は誰に対してもつねに責任を感じる」といった普遍的事実を記述しているわけでも、「人は誰に対しても責任を負うべき」といった道徳規範を述べているわけでも

＊19　アイリス・マリオン・ヤング『正義への責任』、第4章。

ない。むしろそれは、「責任を感じたことがある人なら誰しも、責任の受動性や無起源性にどこかしら気づいているはずだ」というものだ。

個人が責任を感じる場面に訴えるこうした議論は、利害や人権に訴える議論と比べると脆弱なものに映るかもしれない。難民政策に現実に係わったり、現実的な観点から議論したりしている人々からは、まったくお話にならないと言われるかもしれない。

しかし、責任の受動性と無起源性という観点は、私たちが「現実」と呼んでいるものの歪みや、現実の一面しか見ようとしない私たちの「冷ややかさ」を露わにし、私たちが「現実」と異なる仕方で出会うことを可能にする。以下では、このことを見ていく。

責任から目を逸らす習慣

私たちは、社会的つながりモデルで考えるべき責任を、帰責モデルで考えることで「自分に責任はない」とみなしていることはないだろうか。責任の受動性と無起源性に立ち戻ると、自分が感じている責任から日常的に目を逸らしている可能性が浮かび上がってくる。

「自分に責任はない」と言うとき、私たちは往往にして、以下の四つの傾向のもと、自分が生きている現実から目を逸らして、それを自分たちに都合のいいように歪めてしまっている。[*20]

（1）「仕方がない」——問題の物象化

私たちはしばしば、社会で起きている問題や法制度が、個々人の行為の積み重ねによって生じていることを忘れて、それらを自然現象のような「物」だとみなしてしまう。そのように捉えると、社会問題や法制度は、個人がいくら努力しても変えることができない不変なもの、「仕方がない」ものだとみなされる。

例えば、日本の難民受け入れの現状や体制は、個人の力では変えようがないと考えるときにこうした「物象化」が起こっている。物象化を通じて私たちは、入管の収容施設での酷い扱いや支援の乏しいなかでの困窮生活など、日本における難民の窮状が、日本の法制度と日本人の集団的な行為（お役所仕事）や不作為（一般の人々の無関心）によって生み出され、維持されているという現実から目を逸らしてしまっている。

（2）「関係ない」——つながりの否定

第二に、私たちはしばしば、当事者と自分とは直接的なつながりがないとして責任を否定することがある。直接的なつながりがある人にだけ責任を負う必要があるのだとしたら、自

＊20　以下の四つの傾向については、アイリス・マリオン・ヤング『正義への責任』、第6章に依拠している。

分と直接的なつながりがない難民に対しては、責任を負う必要はないということになる。

ここで私たちが目を逸らしているのは、自分や自国が当事者たちやその共同体に依存したり、彼らが自分たちに依存したりしている可能性である。

実際、コンゴのコルタンのように、自分や自国が難民や難民発生国に（政治的・軍事的・経済的に）依存している可能性はつねにある。少なくとも日本に来ている難民申請者とは、彼らが日本国内で（国からの支援がほとんどなく、申請に対しても非協力的な）窮状に苦しんでいるのだから、すでにつながりが生じてしまっていると考えられる。

しかし、私たちは自分に関連するつながりやそれに対する責任を極端に狭く考えることで、こうした可能性から目を逸らしてしまう。

（3）「余裕がない」――身近な人の要求

私たちは、日常生活においては、身近な人々（家族、友人、同僚、顧客）からの要求で手が塞がってしまっており、係わりの薄い人々や目の前にいない人々にかかずらう余裕がない。そのため、見ず知らずの外国人より、身近な人々や国内の困窮者を優先すべきだということで、見ず知らずの人に対する責任が回避されることも多い。

しかし、身近な人の要求をひたすら優先してしまうなら、自分たちの狭い関心に閉じこもり、自分たちの特権的な立場を強化することにしかならない。自分とは関係が希薄な人々の訴えに耳を傾けることとは、必ずしも身近な人の要求を無視することにはつながらない。身近な要求に応えながら関係の希薄な人の訴えに敏感であることはつねに可能だし、さらには身近な人（家族や恋人や友人）の関心を関係の希薄な人へと向けかえることもできるからだ。

また、原発避難者や生活保護受給者といった国内の人々の困窮に真剣に取り組む人なら、それを他国から来た人々の困窮に手を差し伸べないことの口実にすることはないと思われる。というのも、国内の人々の困窮は、立場の弱い人々の窮状が無視され、立場の強い人々の都合のいいように扱われるという点では、他国から来た人々が抱える困難と同種の問題を孕んでいるからだ。

(4)「国や他の人がやってくれるはず」——自分の責務の最小化

最後に、難民を支援するといったことは、端的に「自分の仕事ではない」とする見方も根強い。自分が請け負う仕事や義務（納税）に含まれないことであれば、やらなくても自分が罰せられたり非難されたりはしない。そのため、そうした事柄は、「自分の仕事ではない」「自分には関係ない」ことであり、誰か他の人（行政や支援団体）がやるべきだと考えてしまう。けれども、何らかの不正や理不尽の存在（日本に来た難民の窮状）に気づいているなら、すでに「誰かがそれについて何かをすべき」だとわかっているはずだ。

もし、このすべきことが行政によって充分になされておらず、行政以外の誰にもそうした責務が課されていないなら、こうした責務が果たされるように気を配る責任がすべての人にある、ということになる。

「政府や国がやるべきだ」と言いたくなるかもしれない。しかし、そう言うとき、私たちは政府や国の取り組みが充分に果たされているか否かが、市民からの積極的な支援や要求にかかっているという事実を忘れてしまっている。国民が関心を示さないことに、政治家や行政が真剣に取り組もうとするだろうか。

私たちの「冷ややかさ」

一体何が、このような責任の回避と現実の歪みを生み出しているのだろうか。一つの要因は、私たち誰しもが自分の理解の及ばない現実に対してしばしば向ける「冷ややかさ」にあると思われる。

難民について考える際、先進国に住む私たちはえてして「誰を受け入れるべきか」の議論に終始しやすい。「誰が真に『難民』と言えるか」「どのような人なら受け入れてもよいか」といった議論がなされるゆえんである。

こうした形で議論する際、私たちは難民を「受け入れてあげるか否か」を選択する傍観者的な立場に身を置いている。そうした立場から、例えば、命の危険を冒して身一つで逃げてきた人々に対して、自分が迫害された「客観的な証拠」を求めたり、難民申請者が苦境に立たされていても「自己責任」であると断じたりする。
無論、先進国に生きる私たち自身が難民問題に実際に係わる当事者であることは稀であり、難民に対してはある種の「傍観者」でしかありえない。けれども、同じ傍観者であっても、彼らの訴えや苦しみに対して敏感な傍観者と、無感覚で冷ややかな傍観者とでは、難民と私たちが生きる現実に対する向き合い方が根本的に異なる。[*21]
冷ややかな傍観者は、先に述べたように、現実を歪めて、責任から目を逸らしてしまう。それは、（1）他人の傷つきやすさと共に、（2）自分自身の傷つきやすさから目を背けることによってである。

（1）他人の傷つきやすさ

難民問題を冷ややかに見るとき、私たちは自国から逃れてきた人々に「真正な」難民であること、つまりやむをえない理由のもと、いかなる法も犯すことなく自国から逃れてきた「純粋な」被害者であることを求める。

*21　奥田太郎は、倫理的な問いを考える人が「思慮ある傍観者」になる重要性を指摘している。奥田太郎『倫理学という構え』、第5章参照。

もし彼らの証言に少しでも矛盾があったり、彼らが不法な仕方で入国ないし滞在したりしていたら、彼らは「真の難民」ではないことになる。そのようにして、極限的な状況下で右往左往し、完璧な仕方で振る舞うことができなかったり、記憶が曖昧だったりする人々の「傷つきやすさ」を彼らの落ち度であるかのように非難する。

実際、難民受け入れに反対する人のなかには、「難民を受け入れると違法な形で入国しようとする難民が増加する」と主張する人たちがいる。しかし、「違法な形で入国を試みる人がいる」という事実は、「難民を受け入れなくてもよい」という主張の根拠にはならない。

例えば、1939年5月、セントルイス号でナチスの迫害を恐れて北米に逃れようとした900名以上のユダヤ難民はビザをもっていたにもかかわらず、直前に移民政策を変更したキューバによって入国拒否された。アメリカのビザなど入国に必要な書類をもっていた28名だけが入国を許可された。アメリカとカナダにも入国拒否され、帰還を余儀なくされた乗船者の多くは、その後強制収容所に送られて殺害された。

セントルイス号の入国拒否は、法律的には正しいかもしれないが道徳的に正しいと言えるのだろうか。もし道徳的に正しいとは言えないのなら、それは緊急時においては、どのような手段で逃れてきたかは重大でないと考えられるからだろう。

これとは反対の例として、1940年にカウナス（リトアニア）の領事だった杉原千畝《ちうね》（1900－86）が、外務省の訓令に反して、ユダヤ難民に1カ月たらずで2139にのぼるビザを発給し、数千人のユダヤ人を救ったことが挙げられる。

杉原は外務省の命令に背いたことから、帰国後外務省を追われたが、1985年にイスラエルからユダヤ人を守った非ユダヤ人に贈られる「ヤド・バシェム賞」を授与され、映画『シンドラーのリスト』で著名となったオスカー・シンドラー（1908－74）に擬《なぞら》えて「日本のシンドラー」と讃えられている。

安倍晋三首相も2018年にカウナスの杉原千畝記念館を視察した際、杉原の行為に対して「同じ日本人として、本当に誇りに思います」と発言した。私もまったく同じ思いだが、果たして現代の日本人は、杉原を本当に「誇りに思う」ことができるのだろうか。

残念ながら、杉原が救ったユダヤ人の多くは、現代の日本では難民として認定されようがない。杉原自身ほとんど違法とも言える仕方でビザを発給した。[*22] 杉原が救ったユダヤ難民たちのなかには、出入国のために賄賂を贈ったり偽造文書を使ったりした者、密輸業者に頼んだ者もいたはずだ。また、「自分がユダヤ人であるから迫害の恐れがある」という理由で避難した当時のユダヤ人は、ドイツ政府に「個人的に把握」されていたわけではないため、今日の入管の基準ではそもそも「難民」として認められないだろう。

＊22 ただし杉原は、一時的な感情に押し流されてビザを発給したわけではなく、ほとんど不可能な状況のなかで最善の可能性を模索し遂行した。宮崎満教『杉原千畝の真実』、第3章参照。

冷ややかな傍観者は、他人の傷つきやすさを即座に、法的保護や道徳的配慮の対象から除外する理由とみなしてしまう。そのようにして冷ややかさは、傷つきやすい状況におかれた難民を取り替えのきかない「人」として見ていく可能性を遮断してしまう。

通常、人はすべての人を唯一的な人として見ているわけではないし、そうする必要もない。だが、日常的な対人関係においては、つねに相手の唯一的なあり方に近づいていく可能性が残されている。例えば、タクシーの運転手やスーパーの店員は、大抵の場合、その役割において見られているが、彼らの個性や唯一性に近づいていくことはいつでも可能だ。

これに対して、冷ややかな態度でもって、例えば「難民申請者は嘘をついている、危険である」といったイメージのもとで相手を見るなら、相手の唯一的なあり方に近づいていく可能性が遮断されてしまい、相手を人権の担い手とみなすこともできなくなってしまう。[*23]

(2) 自分の傷つきやすさ

難民を冷ややかな視点から見る際、私たちは自分自身が今いる所から離れざるをえなくなる可能性を除外することで、私たち自身の傷つきやすさから目を背けている。

本章冒頭に触れたシンガーの思考実験に立ち戻ってみよう。この実験で密かに前提とされていることがある。それは、シェルターにすでに避難してしまった自分が、シェルターの外に出されることはないということだ。つまり、この実験では、私たち自身が難民になる可能性が一切考慮に入れられないまま、「自分の砦」にこもって難民を受け入れるか否かを選択するよう促されるのだ。

現実には、日本国内に震災や原発事故による国内避難民がなお多数おり、稼働中ないし稼働予定の原子力発電所が複数存在している。こうした点に鑑みるなら、本書を読んでいる読者が故郷を追われた人である可能性、あるいは今後住んでいた土地を追われる可能性がつねに存在している。

実際、2011年3月12日に、東京の自宅のテレビで福島第一原発の水素爆発を目撃し、フランス留学時のホストファミリーが「私たちはいつでもあなたを受け入れる」というメッセージを送ってくれたとき、私は自分が難民になるかもしれないと真剣に思った。にもかかわらず、私たちはそうした可能性を一切考慮に入れないまま、あたかも自分たちがつねに「受け入れる側」に立ち続けるかのようにして難民問題を考えてしまいがちだ。そのようにして私たちは、自分や自国の見かけ上の安全性に隠された自分たちの傷つきやすさから目を逸らそうとする。

そもそも、難民を受け入れる／受け入れない「私たち」とは、誰のことを指すのか。「私

＊23 「ビルマ人申請者の話によれば、審査官は『難民ではない』という目で質問してくるので、対応が大変だという。出稼ぎ目的と疑われて、注意しないと、言葉一つで、人生の岐路に立たされてしまう、という」（小泉康一『変貌する「難民」と崩壊する国際人道制度』、120頁）。

たち」と言うとき、単一な民族・人種・文化をもつような「日本人」が想定されていたりしないだろうか。第2章で詳述したように、こうした想定は、日本国内に数多く存在する多様なルーツをもつ人々や移民、難民を無視した幻想にすぎない。

実際、日本はかつて、難民を多数受け入れてきた（1975年頃には11000人ほどのインドシナ難民やミャンマーからの難民も数多く受け入れてきた）し、いまもそうした難民やその子どもたちが日本国内で生きている。[*24] にもかかわらず、そうした事実が取り上げられることは稀である。[*25] 難民受け入れに消極的な人が「島国で育った日本人には、異なる文化や宗教をもった人々を受け入れる土壌がない」などと断言するとき、まずはこうした歴史や現実に目を向けるべきであろう。

（3）冷ややかさは「現実的」ではない

自分たちの傷つきやすさに向き合うことは、「自分たちも難民になりうるのだから、万が一そうなったときに手厚く扱われるように、日本に来た難民も手厚く扱った方がよい」といった主張に至るわけではない。

むしろそれが必要となるのは、自分の傷つきやすさから目を逸らして、あたかも難民が生きている現実には私たちがいないかのようにして語ったり振る舞ったりするのを避けるためである。[*26] つまり自分の傷つきやすさに向き合うことは、冷ややかさから離れて、私たちが生きる現実を見つめるために必要なのだ。

えてして、冷ややかさは、問題となっている事柄から距離をとった、客観的ないし現実的（リアリスティックな）態度と混同されやすい。

しかし、ある事柄から適切な距離をとるためには、そこから距離をとる自分自身が現実のなかにいなければならない。冷ややかさは、自己を現実のなかから抜き取ってしまうことで、そもそも「距離をとる」ことを不可能にする。それは、現実のなかに自らが身を置くことなく、視点を欠いたまま現実を語ることなのだ。にもかかわらず、いや、だからこそ、冷ややかな人は自分の都合のいいように現実を歪めて、自己という視点をもたないことがあたかも「客観的」であるかのようにしてそれを語ろうとする。

しかし、こうした語りは客観的とは程遠い。例えば、フィンランドで難民申請をするシリア難民を描いた映画『希望のかなた』（アキ・カウリスマキ監督、2017年）には、シリア

＊24　難民支援協会の年次報告によると、2018年末時点で、インドシナ難民4000人、条約難民750人、人道配慮2628人、第三国定住難民174人、難民申請中の人約30000人からなる約37500人が日本に居住しているとみられている。

＊25　近年、日本国内に住む難民を扱った映画やドキュメンタリー等が注目を集め始めている。例えば、日本国内のミャンマー難民とその子どもを取り上げた映画『僕の帰る場所』（藤元明緒監督、2017年）等。

＊26　ドキュメンタリー映画『海は燃えている』（ジャンフランコ・ロージ監督、2016年）は、地中海を渡る難民たちのおぞましい悲劇とランペドゥーサ島の住民ののどかな日常生活が、ほとんど交わることなく並存している現実を突きつける。

内戦の激戦地アレッポを「帰還困難なほど危険ではない」と断じる判事が登場する。こうした判断がどれほど「客観的な証拠」のうえに成り立っていたとしても、そこでは当人に映る現実の一側面（「危険でないアレッポ」）を客観的に見せるために証拠が用いられ、現実の他の諸側面が最初から考慮に入れられていない恐れがある。

にもかかわらず、冷ややかな人はしばしば、自分が「現実的」であると信じて疑わない。例えば、難民受け入れに対して冷ややかな態度をとって、「人権や道徳的責任といった理想論を語るのではなく、現実的になれ」などと言う人がいる。こうした人は、本当に「現実的」と言えるのだろうか。むしろ、冷ややかな傍観者は三重の意味で「現実逃避的」だと思われる。

第一に、自国から逃れてきた人々の瑕疵を理由に彼らを法的保護や道徳的配慮の対象から締め出すことは、どんなに過酷な状況下でも法を守り、客観的な証拠を準備し確保して行動する「理想的な行為者」をモデルにすることで初めて可能となる。こうしたモデルに則って相手を審査したり非難したりすることほど非現実的なことはない――あたかも命の危険を感じて自国から逃げる際に、難民認定の準備をぬかりなくしてきた人こそが真の難民であるかのようだ。

第二に、冷ややかな傍観者は自分自身の傷つきやすさから目を逸らす点で自己欺瞞的であり、自分の見かけ上の安全性を過信して現実の外から――どこでもない「自分の砦」から

――現実を眺めようとする点で現実逃避的である。

そのようにして、他人や自分の傷つきやすさから見えてくる現実から目を逸らし、自分の視野に入らない現実に他人だけでなく自分も生きているという事実からも逃れようとするのだ。

現実逃避的な冷ややかさの対極に、他人・自己・現実を直視しようとする「冷静さ」が位置づけられるなら、[*27] それは必ずしも、感情を排して物事に動じないことではなく、むしろ、自分の感覚や見方の限界を自覚し、他人の感情や訴えに適切な仕方で動かされるあり方だと理解されよう。そのためには、他人の発言を鵜呑みにしたり過度な同情から現実を歪めたりしないように注意を払う一方で、自分が経験したことのない苦しみや恐怖に対する敏感さを失うことなく、自分と他人が生きる現実をよりよく理解しようとすることが必要だ。

こうした敏感さを備えた「敏感な傍観者」なら、命の危険を感じて自国から逃れてきた人々の傷つきやすさを即座に彼らの落ち度とはみなさず、そこから彼ら一人ひとりの取り替えのきかない「人」としてのあり方へと近づいていこうとするだろう。そして、そのために、彼らの発言に適切な距離をとって、それが事実であることを示すために何が必要か、客観的

＊27　冷ややかさと冷静さの区別について私が考えさせられたのは、東日本大震災に直面してのことだった。小手川正二郎「震災が哲学に問うていること。哲学が震災について問いうること」（『三色旗』第764号所収）参照。

証拠が失われている場合には、なおいかなる事実が拠り所となりうるかを彼らと共に探しあてようとするはずだ。

ここであえて、冷ややかな傍観者と敏感な傍観者を対置したのは、私たちがどちらか一方にはっきりと分けられるからではない。誰しもが冷ややかさと敏感さを一定程度持ち合わせており、問題となる事柄や相手に応じて冷ややかになったり敏感になったりする。

責任の受動性と無起源性に立ち戻るなら、私たちが日常的に、現実を歪めて自分が感じているかもしれない責任から目を背けて、冷ややかな傍観者になっている可能性が露わになる。そして、もし自分自身の冷ややかさに向き合うことができるなら、その時私たちは冷ややかでないあり方にすでに何らか気づいていると思われる。難民に対して当初は冷ややかな態度をとっていた人であっても、何かをきっかけに難民一人ひとりを取り替えのきかない「人」として感じ、[*28]敏感な傍観者となることもできるはずなのだ。

もちろん、どのような行動が冷静かつ敏感な行動となるかは、各人が置かれている立場や状況によって異なる。私たちの多くは、難民審査や難民支援の現場に直接関わっているわけではないし、関われるわけでもない。

けれども、そうした人であっても、難民と自分が生きている現実を知り、その現実に働きかけるために、具体的に何ができるかは、いくらでも調べようがあるだろう（ＵＮＨＣＲや難民支援団体に寄付すること、難民について学ぶこと、入管の収容施設での事件や難民についての偏ったイメージを与えるような番組に抗議の声をあげること、等々)。

いずれにせよ、難民について哲学的に思考することは、難民受け入れの是非や根拠を考えることに尽きない。他人や自分自身の傷つきやすさを直視し、むしろ難民によって自分のこれまでの態度やあり方を問われているという事態から出発するなら、冷ややかな傍観者の立場から「受け入れるか否か」を議論することはできなくなるはずだ。

このようにして、哲学は議論に立つ私たち自身の「冷ややかさ」を問い直し、難民と私たち一人ひとりの関係を変容させる点で、既存の議論や人権概念に意味と効力を与え直すという深い実践的意義をもちうると私は考える。

＊28 ドキュメンタリー映画を見ることは、こうしたきっかけの一つとなるかもしれない。例えば、日本で難民認定されたシリア人一家のドキュメンタリー、ETV特集『ラーマのつぶやき――この社会の片隅で』が難民に対する学生たちの見方に及ぼす影響は大きい。それは、このドキュメンタリーがラーマさん一家の様々な傷つきやすさと人間らしさを描いているからだと思われる。

参照資料

〔邦語文献〕

奥田太郎『倫理学という構え――応用倫理学原論』、ナカニシヤ出版、2012年
小泉康一『変貌する「難民」と崩壊する国際人道制度』、ナカニシヤ出版、2018年
小手川正二郎「震災が哲学に問うていること。哲学が震災について問いうること」、『三色旗』第764号、慶應義塾大学、2011年所収
小手川正二郎『甦るレヴィナス――「全体性と無限」読解』、水声社、2015年
シンガー、ピーター『実践の倫理』、山内友三郎・塚崎智監訳、昭和堂、1999年
錦田愛子編『移民／難民のシティズンシップ』、有信堂高文社、2016年
日本難民支援協会「日本に来るのは『偽装難民』ばかりなのか？――難民認定、年間わずか数十名の妥当性を考える」https://www.refugee.or.jp/jar/report/2018/02/13-0002.shtml
日本難民支援協会「日本の難民認定はなぜ少ないか？――制度面の課題から」https://www.refugee.or.jp/jar/report/2017/06/09-0001.shtml
バウマン、ジグムント『自分とは違った人たちとどう向き合うか――難民問題から考える』、伊藤茂訳、青土社、2017年
墓田桂『難民問題』、中央公論新社、2016年
宮崎満教『杉原千畝の真実――ユダヤ人を救った外交官の光と影』、文苑堂、2007年
ミラー、デイヴィッド『国際正義とは何か』、富沢克・伊藤恭彦・長谷川一年・施光恒・竹島博之訳、風行社、2011年
山村淳平「日本および世界における移民・難民にかんする統計」、山村淳平・陳天璽『移民がやってきた――アジアの少数民族、日本での物語』、現代人文社、2019年所収
ヤング、アイリス・マリオン『正義への責任』、岡野八代・池田直子訳、岩波書店、2014年

レヴィナス、エマニュエル「人間の諸権利と他者の諸権利」（１９８５年）、『外の主体』、合田正人訳、みすず書房、１９９７年所収
レヴィナス、エマニュエル『倫理と無限――フィリップ・ネモとの対話』、西山雄二訳、筑摩書房、２０１０年
ＷＩＲＥＤ「なぜコンゴを血で染める戦争は続くのか？――知られざるハイテク産業の裏の顔」
https://wired.jp/2013/02/22/smartphobe-war/

〔外国語文献〕
Onora O'Neill, *Justice across Boundaries: Whose Obligations?* Cambridge/New York: Cambridge University Press, 2016.

〔映像〕
『海は燃えている――イタリア最南端の小さな島』、ジャンフランコ・ロージ監督、２０１６年
『希望のかなた』、アキ・カウリスマキ監督、２０１７年
『僕の帰る場所』、藤元明緒監督、２０１７年
『バリバイ一家の願い――〝クルド難民〟家族の12年』（ＥＴＶ特集２０１９年６月22日放映）
『ラーマのつぶやき――この社会の片隅で』（ＥＴＶ特集２０１８年４月14日放映）

第5章

動物の命

肉を食べることと
動物に配慮することは
両立しうるのか？

1 価値観の押しつけ

肉や魚、卵や乳製品もとらないビーガンの女性が「テーブルにあるのは動物です。豚には豚の命があります」と叫んで韓国の焼肉店に乱入した。日本でも2019年のゴールデンウィークに開催された肉フェスで、「動物を殺してほしいですか」という看板と動物の死骸の写真パネルが立てられた。このニュースを報じたワイドショーで、あるコメンテーターは、「何を食べるかは個人の自由で、価値観の押しつけはいきすぎではないでしょうか」と述べた。

2 日本は動物の権利保護が遅れている?

私は日本を何度か訪問したが「動物の権利運動」として西洋で知られるようになったことにたいする日本の人々の関心のひくさをみてがっかりした。アメリカ、イギリス、スウェーデン、オーストラリアといった国とくらべて、菜食主義はほとんど知られていない。しかもこの国はかつて肉食が禁じられていた数少ない国の一つなのである。今日、教育のある西洋の人々が肉食を減らしているこの時代に、日本の肉の消費量はまだふえている。西洋では、人々は肉食の健康面、倫理面、環境面についてはるかによく知っている。それにひきかえ日本では、動物たちが「集約的農場」のなかでどのように生きることを強いられているのかほとんどの人は何も知らないし、気にもかけていないように思われる

ピーター・シンガー『実践の倫理』[*1]

*1　ピーター・シンガー「日本語版新版への序文」、『実践の倫理』、ii－iii頁。

肉食反対派と擁護派の埋めがたい溝

ここに見られるのは、動物の命に対する二つの対照的な考えである。【1】のような肉食擁護者は、何を食べるかは個々人の価値観の問題であるとして、肉食をよしとする価値観をもつ人に他人が口を出すことを「いきすぎ」だとみなす。肉食を特に疑うことなく続ける日本人には、このように考える人が少なくない。

【2】のような肉食批判者は、こうした人々が食肉生産の実態について無知であり、無関心であることを批判する。動物たちが肉にされるまでにどれほど過酷な環境におかれ、どれほどの苦しみを味わっているのか、そして食肉生産がどれほど不合理かつ不道徳なものであるかを知れば、肉食を改めざるをえないはずだ、というわけだ。

これら二つの立場の間には、埋めがたい隔たりが存在する。

一方で、肉食擁護者は、自分たちが命ある動物を殺して食べているという事実を見て見ぬふりをしている。そのため、やり方がよいかどうかは別にして、肉食に抗議する人々がこの事実に注意を喚起しようとすると、不愉快さと同時に後ろめたさを感じる。

「人間も他の動物も植物も等しく命あるものなのだから、命を頂いていることに感謝して

『頂きます』と言って食べればよい」──そう言って後ろめたさから目を背ける人もいる。けれども、こうしたことを言う人は、必ずしもすべての命を平等に考えているわけではない。彼らのほとんどは、牛や豚を食べても、犬や猫を食べようとはしないだろうし、動物と植物を同様に扱っているわけでもない。

確かに、何を食べるかは個人の自由かもしれない。しかし、肉を食べることが動物を殺すことと切り離せない以上、肉を食べるか否かは人参を食べるか否かとは根本的に異なる。そして、動物を苦しめて殺すことが不正であるなら、肉食を選ぶ人の価値観もまた不正だと非難されうる（犬猫を苦しめて殺すような人が残虐非道だと非難されるように）。こうした非難に対して「価値観の押しつけ」という一言で片づけようとするなら、それは価値観が異なる相手との対話を拒むことに等しい。

では、肉食批判者の言い分が全面的に正しいか、というとそうとも言えない。人々が肉食を続けているのは、食肉生産の実態について「知らない」からなのだろうか。動物たちの苦しみや死について知れば、本当に人々は肉食をやめるのだろうか。それでも肉食をやめない人は、不合理ないし不道徳な人であることになるのだろうか。

肉を食べる人々は、必ずしも食肉生産の実態や動物の苦しみを知らないために肉食を続けているわけではない。肉を食べない人々もまた、その多くは、動物の苦しみを避けるために食べようとしないのではない──シンガーのような肉食批判者には、こうした事実が見えていないように思われる。

実際、ベジタリアンの割合が世界のなかでも多いと言われる台湾、ブラジル、メキシコ、インド等はそれぞれ異なる文化的・宗教的背景をもち、シンガーの言う「教育のある西洋の人々」とは異なる事情で肉を食べていないと考えられる。「肉食の健康面、倫理面、環境面についてはるかによく知っている」人が多いはずの欧米においても、一人当たりの肉の消費量は依然高い数値を保ち、日本人の二倍から三倍ほどである。

確かに、動物の苦しみに焦点をあてるシンガーのような立場に立てば、動物に対する人間の様々な振舞い――肉食、動物実験、害獣の駆除、動物園での飼育、ペットを飼うこと――を統一的な視点から批判したり、それらに明確な解答を与えたりすることができる。けれども、こうした立場は、動物に対する私たちの日常的な態度からかけ離れており、そこから導かれる解答は、人間と動物の多種多様な係わりが孕む現実の難しさから逸れていってしまう。

以下では、まずシンガーの種差別批判を取り上げ、それがいかなる点で現実の難しさから逸れていくのかを考察する。そして、動物に対する日常的な態度から出発しつつも、肉食の習慣に漫然と従うことなく、動物の命について再考する可能性を探りたい。

1　人間は「種差別」主義者である

――シンガーによる肉食批判

種差別とは何か？

そもそも私たち人間はなぜ、他の動物を食べたり、実験に用いたりするのだろうか。

シンガーは、次のように考える。[*2] 多くの人は、他の動物の命をそれ自体では価値がないものとみなしている。そうした人たちにとって、動物は、人間に食べられたり、医薬品や化粧品の安全性を確かめる実験に使われたりすることで初めて価値をもつ。つまり、動物は人間に何らか役立つという意味での価値、道具的価値しかもたないとみなされている。

こうした見方の根底には、ヒトとヒト以外の動物を、種の違いに基づいて差別する「種差別」があるとシンガーは言う。人種差別主義者が自分たちの人種に属する人々の利害を、他の人種に属する人々の利害よりも重視するように、シンガーが種差別主義者と呼ぶ人々は、「ヒト」という種に属する自分たちの利害を、他の種に属する動物たちの利害よりも重視している。そして、ヒトの様々な利益のためには、他の動物が食用に殺されたり、実験に使われたりする際に様々な害悪を被ることは仕方ないのだと考えている。

こうした見方に対して、シンガー自身は「利益に対する平等な配慮」がなされるべきだと主張する。ある行為をなす際、その行為の影響を受ける存在すべての同種の利益に等しい重みが与えられなければならない。

例えば、自然災害から避難してきた人々を避難所が受け入れる際、ホームレスの人を受け入れることに不快な気持ちを抱く避難者がいたとしても、そうした人が被る害悪（不快感）よりも、ホームレスの人が得られる利益（命の安全）の方がはるかに大きいため、受け入れるべきだと考えられる。もし、女性だから、外国人だから、ホームレスだから、事前に危険を察知する能力が欠けていたからといった理由で避難者を受け入れないなら、それは利益に対する平等な配慮を欠いた差別になってしまう。

利益に対する平等な配慮を考える際の前提となるのは、そもそも行為の受け手が行為によって生じる利害を受けうるということだ。例えば、米や石は快苦を感じることができないので、食べられたり実験に使われたりしても害悪を被るとは言えず、配慮の対象外となる。これに対して、快苦を感じることができる動物の場合、食べられたり実験に使われたりすることによる害悪を被る以上、食肉や動物実験を行う際、人間と同等の配慮の対象となる。

＊2　ピーター・シンガー『実践の倫理』、第3章参照。

それゆえ、食肉や動物実験によって人間たちが得られる利益の代償として、動物たちが被る害悪が無視されたり、人間と同等に配慮されなかったりするならば、それは性別や人種を理由に差別するのと同様に、道徳的に間違っていることになるわけだ。

工場畜産と動物実験に対する批判

こうした考えに基づき、シンガーは食肉生産と動物実験を批判する。

彼が食肉生産を批判する際に、とりわけ標的としているのは、巨大企業による大規模な工場での畜産である。そこでは、安価な肉を大量生産するために、劣悪な環境下で動物たちが短期間に育てられて殺されることが繰り返される。[*3]

日本では、動物福祉の観点から欧米、インド、南アフリカ等ではすでに廃止された生産方法が続けられている。大多数の牛、豚、鶏は、身動きが充分にとれない狭く不衛生な場所で育ち、麻酔なしに歯やくちばしを除去されたり、去勢されたりして、抗生物質入りの飼料を大量に与えられて太らされ、寿命の10分の1～20分の1に満たない段階で食肉にされている。

こうした動物たちの苦しみや死を代償として得られる人間たちの利益は、安い値段で美味しい肉を食べられるという比較的小さな利益にすぎない。人間たちの利害と同等程度に動物たちの利害に配慮しようとするなら、工場畜産やそこで生産された肉を消費することは受け入れ難い。

肉食によって人間が得られる利益が小さいという主張には、異論の余地もある。人間の生存や健康がかかっている場合には、その利益は決して小さくないと考えられるからだ。しかし、現代において、狩猟を生業とするごく一部の人を除いて、肉を食べなければ生きていけなかったり健康を保てなかったりすることはない。むしろ肉を生産するために大量の穀物が必要である点で、肉食は非効率的なタンパク質の摂取方法であるだけでなく、世界の限られた食糧を浪費する不道徳な方法なのだ。

工場畜産に比べると、動物実験の方は難病の治療や新薬の開発といった明確な利益のために、動物の命が代償とされているように見える。しかし、それは見せかけにすぎないとシンガーは言う。

人間の治療や安全性という名目のもと、実際には、大して必要のない新製品（薬品、着色料、化粧品）の安全性検査のために動物実験がなされ、一国当たり年間数百万〜数千万匹の動物たち（9割方はラットとマウスだが、ウサギ、イヌ、ネコ、サル等も含まれる）に多大な苦しみが与えられ続け、実験後に動物たちは安楽死させられる。

シンガーによれば、動物実験を廃止しても、医学研究が放棄されたり、安全性が確証され

＊3　詳しくは、ロナルド・L・サンドラー『食物倫理入門』、100－101頁参照。

ない製品が流通したりすることにはならない。すでに安全とわかっている成分を用いて新製品をつくったり、動物を使わない代わりの検査方法を見つけたりすることも可能なはずだからだ。にもかかわらず、日本では、EUをはじめとする多くの地域で禁じられている化粧品の動物実験が各企業の判断に委ねられ、事実上容認されている。

利益に対する平等な配慮に基づけば、こうした製品がもたらす人間の利益と実験動物に与えられる害悪を比較し、よっぽどのことがない限りは、後者を重大視して動物実験を伴う新製品の開発をやめさせるべきだということになるだろう。

能力による命の序列化

以上のように考えるとき、シンガーは「すべての動物の命には同等の価値がある」などと主張しているわけではない。種によって動物たちの命を序列化する「種差別」を批判しつつ、彼は個々の動物がもつ能力によって命を序列化することを提唱している[*4]。

ヒトをはじめとした一部の高等動物は、快苦の感覚だけでなく、理性や自己意識をもつため、自分が存在し続けることを欲求したり、自分の将来を思い描いたりすることができる。こうした動物を苦しめたり殺したりすることは、現在の不快だけでなく将来に対する不安や怖れという害悪を味わわせたり、存在し続けたいという欲求を阻害したりする点で、快苦の感覚だけをもつ動物を苦しめたり殺したりすることよりも甚大な害悪を与えることになる。

そのため、マウスのような快苦の感覚だけをもつ動物の場合、それを動物実験に用いることで、人間たちの多大な利益（例えば数万もの人命を救う医薬品）を生み出すのが確かであれば、最小限の苦しみを与えて殺すことも許容される。

これに対して、チンパンジーのような高度な知的能力をもつ動物を動物実験に用いることは、許容されえない。こうした動物を用いた動物実験が必要だと言われたとしたら、これらの動物と同等ないしそれ以下の知的能力しかもたない胎児や乳幼児、さらには重度の知的障碍者を人体実験に用いる可能性の方を考えるべきだとシンガーは主張する。というのも、能力の面から言えば、こうした人々を苦しめたり殺したりすることよりも、高度な知的能力を備えたチンパンジーを苦しめたり殺したりすることの方が甚大な害悪を与えることになるからだ。

シンガーはこのようにして、種によって動物を差別することなく、それぞれの個体の能力に即した利害に対して平等な配慮をするために、能力によって命を序列化する道を提示していると言えよう。

＊4　ピーター・シンガー『実践の倫理』、第4章参照。

2　人間と動物は違うということの意味——ダイアモンドによるシンガー批判

肉食と人食

　工場畜産と動物実験のうち、私たちにとってより身近な問題として感じられるのは、日々の食生活と切り離せない工場畜産の方であろう。シンガーの議論に説得されて、肉食をやめる人もいる。しかし、大抵の人は、彼の議論に言いようのない違和感を覚えて、肉食をやめる気になれない。

　牛や豚や鶏、さらには魚も、本当に苦しみを感じているのか。自分が食べている肉は、本当に劣悪な環境で育てられた動物の肉なのか。肉食をやめて健康上の問題はないのか——仮にこうした問いに明確な解答が与えられ、事態がシンガーの言う通りだとわかったとしても、肉食をやめようとしない人は少なくないはずだ。

　そうした人々は、肉食の習慣にあまりに馴染みすぎてしまっているために頭では理解しても行動を変えられない意志の弱い人、あるいは動物の命を何とも思わない冷酷な人だということになるのだろうか。そうとも限らないはずだ。

シンガーの議論は、「肉を食べること」が「苦しめ殺された動物の肉を食べること」であるという事実に私たちを立ち戻らせる点で、重要である。しかし、「肉を食べるべきではない」という彼の結論に納得できないのは、この事実をわかっていないからではなく、「肉を食べること」がこの事実のみに汲み尽くされず、それより重要な他の事実が覆い隠されているからかもしれない。

実際、シンガーの議論では、人間と動物を分ける私たちの日常的な態度が「種差別」とみなされて非難されることで、人間と動物に対する私たちの態度や振舞いに含まれる重要な差異が見過ごされているように感じる。

自身もシンガーと同様ベジタリアンでありながら、シンガーの議論を誰よりも根本的な形で批判した哲学者のコーラ・ダイアモンドは、この差異に焦点をあてている。[*5] 彼女の批判のポイントを見ていきたい。

第一に、シンガーは動物の能力（快苦を感じる能力、理性や自己意識）のみに依拠して、人間の幼児や重度の知的障碍者と同等の知的能力をもつ動物を、彼らと同等に扱うことを主張

＊5　コーラ・ダイアモンド「肉食と人食」（キャス・サンスティンほか編『動物の権利』所収）。

するが、これは明らかにおかしい。

この主張に従うなら、人間の幼児と同等程度の言語能力をもつチンパンジーやオウムには、その能力に見合った言語教育を受けさせるべきだということになる。しかし、人間の幼児が言語教育を受けなければ害を被ることになるのに対して、チンパンジーやオウムは言語教育を受けなかったからといって害を被ることにはならない。

なぜなら、人間にとって、言語による他の人間とのコミュニケーションは生きていくのに必要不可欠であるのに対して、チンパンジーやオウムにとって、人間の言語は、自分の仲間たちと暮らすなかでは端的に不要だからだ。つまり、能力に見合った配慮は、その能力がいかなる種の動物にもたれているか、そうした動物がいかなる社会生活を営んでいるかということと切り離せないのだ。

第二に、シンガーは利益に対する平等な配慮に基づいて、動物を食べ物や実験台として扱うことを批判しようとするが、この批判はうまくいっていない。というのも、私たちは動物の利害に配慮していないがために、動物を食べ物や実験台として扱っているわけではないからだ。

このことは、私たちが人間を食べない理由に目を向けてみれば、はっきりする。私たちは通常、他の人間を食べようとはしないが、それは人間を苦しませたり、人間の生存欲求を阻害したりすることを避けるためではない。というのも亡くなった人間の場合でも、私たちは食べようとしないからだ（極限状況に陥って人肉を食べざるをえない場合も激しい抵抗を感じる）。[*6]

シンガーの教えに従い、動物の利害に配慮して工場畜産の肉を食べないことに決めた人は、大草原で雷に打たれて死んだ牛を食べることに躊躇を感じないはずだ（その牛は工場で苦しめられたわけでも人間に殺されたわけでもないのだから）。こうした人が、同じように、雷に打たれて亡くなった人間を食べようとするだろうか。おそらく食べようとはしないはずだ。だとすれば、このことが示しているのは、私たちが人間を食べ物として扱わないのは、食べられる人間の利害に配慮しているからではないということだ。

私たちが動物を食べ物や実験台として扱い、人間をそのようには扱おうとしないとき、動物と人間の能力や利害は、まったく問題になっていない。能力や利害に依拠するシンガーの議論に対して、多くの人が感じる違和感の原因の一端はここにある。

＊6　吉川孝は、ダイアモンドの議論を踏まえたうえで、極限状況での人肉食を題材とする映画が、人肉食という行為の正当化ではなく、人肉を食べた者が抱くことになる羞恥、自己嫌悪、苦悩、後悔などを描く倫理的意味について考察している。吉川孝「食べること、人間であること、生き残ること」（吉川孝ほか編著『映画で考える生命環境倫理学』所収）、176－179頁。

動物への配慮は規範の問題なのか？

もちろん、こうした事実に対して、私たちが通常、能力や利害を考慮せずに、人間と動物を区分けして、動物への配慮を全くしようとしない点をシンガーは批判しているのだと主張することはできる。動物への配慮を考える際に、私たちが普段どのようにしているかという「事実」が問題になっているのではなく、道徳的に考えるなら動物の能力や利害に依拠して配慮するべきという「規範」が問題なのだ、というわけだ。

ダイアモンドはこうした反論を見越して、動物や人間への配慮は、それらが有する能力や利害から規範や義務を導くような問題なのではなく、そもそも人間と動物をどのように「観る」のかという問題なのだと示唆している。

私たちが不慮の事故で亡くなった人間も食べようとしないのは、私たちの「人間」観に「食べ物として見ない」ということが含まれているからだ。これは「ヒト」という生物種に固有な特徴でも、「人間」の辞書的な定義でもない（おそらくどんな辞書にも、共食いをしない生物といった定義は記載されていない）。

むしろこれは、互いに名前で呼び合ったり、挨拶や会話を交わしたり、遺体を丁重に扱ったりすること等とともに、日常生活のなかで日々実践されている人間に対する態度に含まれる「人間という概念を構築しようとする試み」をなす。「動物」という概念もまた、日々の生活において、人間という概念との関連や比較のなかで構築されている。「他にも様々なやり方があるにしても、私たちは私たちが動物を食べる食卓につくことで人間とは何かについて学ぶ。私たちは食卓を囲むが、動物は食卓に並ぶのである」[*7]。

ここでは、科学的な見地から観察されるヒトと他の動物の違いが問題になっているわけではない。ヒトとヒト以外の動物には、生物学的・遺伝学的・生態学的な面で様々な違いがあると同時に、種に応じた類似性がある(例えば、ヒトは遺伝子のレベルでは、チンパンジーやボノボとは1%程度しか変わらないと言われている)。

人間に対する私たちの日々の態度と動物に対する日々の態度のなかに見出される「人間と動物の間の差異」――シンガーの議論に違和感をもつ人が見て取り、ダイアモンドが示そうとしている差異――は、こうした様々な違いと混同されてはならない。

ヒトと他の動物の間の様々な違いを考えるとき、ヒトや動物という概念は生物学的な意味で用いられている。一方で、私たちが通常「人間と動物は異なる」と言うとき、人間と動物

*7　コーラ・ダイアモンド「肉食と人食」横大道聡訳(キャス・サンスティンほか編『動物の権利』所収)、133頁(訳文は一部変更)。

という概念は非生物学的な意味で用いられ、両者の差異もヒトと他の動物との生物学的な違いから導き出されているわけではない。

例えば、重度の認知症を患う祖母を老人ホームに訪ねたとき、彼女が裸のままペット用のボウルでご飯を食べさせられているのを見たら、「動物のように扱われている」と憤慨するはずだ。[*8] 職員が「彼女にはもはやわずかな認知能力しか残っておらず、室温も管理されているからまったく害はないのだ」と説明しても、私たちは「彼女の能力や利害の問題ではない」と言うだろう。

服を着て、しかるべき仕方で食事をとることは、それが当人の利益になるかどうかとは無関係に、「人間的な」あり方であり、服を着せられないまま犬のように食べさせられることは、人間社会においては「動物のように扱われる」という侮辱を意味する。

重要なのは、人間と動物のある種の序列化を伴うこうした見方が種差別とは異なるということだ。というのも、人間を動物のように扱わないことの眼目は、人間にふさわしい仕方で人間に配慮することにあり、種の違いに基づいて動物を不利に扱うことにはないからだ。実際、犬に服を着せて、椅子に座らせてスプーンで食べさせることは、犬を人間と同等に扱うことを意味しないし、服を着せずボウルで食べさせることは犬を侮辱したり不利に扱ったりすることにはならない。

動物に対する見方を変える

動物への配慮は、何が正しく何が間違っているかを一義的に決定する規範の問題ではなく、人間と動物をどのように観るかの問題であるとすることは、動物への配慮をいかに考えることを促すのだろうか。シンガーの議論との対比のもとで、考えてみよう。

動物の苦しみに注目するとき、シンガーは一見すると動物の苦しみに対する同情や共感に訴えているように見える。しかし、彼は同情や共感といった個人の主観的な感情に訴えているわけではない。ある動物の苦しみに同情するかどうかは個人差があるため、同情を感じない人には説得力がないからだ。

むしろ彼は、誰もが同意するであろう「利益に対する平等な配慮」という一般的な原理から出発し、科学的知見によって示される様々な動物の能力に関する「客観的な事実」を手がかりに、動物たちの能力に即した利害に対して平等な配慮をすべきだと主張する。

シンガーによれば、こうした原理と事実から導き出される結論には、どんな人であっても——動物の苦しみに対する同情心をもたない人も——従わねばならない。そして、この結論

＊8　エリザベス・アンダーソン「動物の権利と人間以外の生命の価値」（キャス・サンスティンほか編『動物の権利』所収）、374－375頁。

がどれほど私たちの日常的な直観に反するもの（例えば、チンパンジーよりも、胎児や乳幼児や重度の知的障碍者を実験に用いるべきといった主張）だったとしても、疑うべきは種差別に慣れ親しんだ私たちの日常的な直観や常識の方だということになる。

それゆえ、一般的な原理から出発する理論的思考によって私たちの直観を矯正することで、種差別という偏見を是正していくことが、シンガーにとって、動物に対する私たちの態度と振舞いを変えることを意味する。

シンガーの考えに従うと、日常生活でとられる人間への態度と動物への態度の間の根本的な差異よりも、ヒトもまた動物種の一つであるという生物学的な事実がより客観的であるとされる。それによって、ヒトを特権視し、犬猫をかわいがり、牛豚鶏を食べるといった私たちの矛盾に満ちた動物観は、能力による動物の序列化に取って代わられることになる。このようにして、生物学的事実と一般原理から、私たちの偏見を矯正し、動物に対する私たちの矛盾と混乱を「解消」し、動物たちとの係わりのなかで生じる様々な困難を「解決」していくことが目指される。

しかし、こうした議論によって、私たちの動物の見方は本当に変化するのだろうか。シンガーの議論に説得されて肉食をやめる人は、自分の動物の見方を「変える」というよりも、それをリセットしてシンガーの見方とまるごと「取り替える」という方が適切なのではないだろうか。

なぜなら、様々な動物に対する私たちの日常的な係わりは、能力と利害という側面だけに切り詰められないだけでなく、シンガーの見方と様々な点で衝突してしまうため、そうした部分を些末な点や偏見だとみなして忘れ去る以外に彼の見方を受け入れる術はないからだ。

動物の苦しみに対する同情心をもたない人も理性的に説得するために、シンガーは私たちの日常的な人間観や動物観（人間と動物の差異）をリセットして、一般原理や生物学的事実から動物への配慮を取り出そうとする。そのとき、彼は人間による動物への配慮を考えるための足場を切り崩してしまっている。

というのも、「ヒトもまた動物種の一つである」という生物学的な事実から出発することは、なぜ動物種の一つでしかないヒトが他の動物たちに対して道徳的な配慮をしなければならないかを説明不可能にするからだ（むしろこの事実は、肉食擁護派がしばしば唱えるような「ヒトもまた動物にすぎないのだから、肉食動物のように、他の動物の肉を食べて何が悪いのだ」という主張と親和性がある）。

人間や動物への道徳的な配慮が求められるのは、私たちの動物的なあり方とは異なるあり方、つまり「人間」的なあり方に対してであり、このあり方は、先に見たような人間と動物の差異を前提としている。動物に対する配慮とは、私たちがヒトではなく「人間」としてなすべきことなのだ。

ダイアモンドは、こうした観点に立って、人間と動物の差異を前提とした私たちの動物観の内側から、動物への配慮を考えようとする。確かに私たちの日常的な動物観は、能力によって整然と序列化されるシンガーの動物観とは対照的に、混乱し矛盾している。しかし、それは単に混乱し矛盾しているわけではなく、動物への配慮を考えるために様々な手がかりを与えてくれるものでもある。

例えば、都会に生きるネズミや田畑を荒らす鹿は、「害獣」として駆除される。ネズミや鹿がもたらす損害はときに甚大なものとなるが、駆除される際に彼らが負う苦しみと比較するなら、後者の方が大きいと言えるかもしれない。しかし、私たちは、駆除することでしか追い払えない場合にも、ネズミや鹿を殺さずに受け入れるべきなどと主張しない。

こうした扱いは、人間たちの利害を動物たちの利害よりも過大評価する、つまり種差別をするから生じるわけではない。

ある種の動物、人間の居住地に侵入し、人間と共存しうるように自らの行動を調節したりしつけられたりできないネズミや虫は、「害獣」（害虫）とみなされる。また、通常は害獣とみなされない動物（鹿や猿）も、ある種の状況では（田畑を荒らしたり、人間に危害を加えたりする場合）害獣とみなされる。害獣とみなすことは、それを通常の意味での「動物」として扱わないこと、つまりただ追い払う対象とみなし、場合によっては罠で捕獲したり、毒で殺したりすることを意味している。

逆に言えば、害獣という概念は、動物が通常は、ただ追い払う対象やたんなる物とはみなされないことを前提として成立している。実際、猫や鳩の糞尿や騒音に悩まされた人が殺鼠剤を用いて近所の猫や鳩を「駆除」しようとするなら、そうした行為は咎《とが》められ罰せられる。

ネズミや鹿の駆除が許されて、猫や鳩の駆除が許されないのは、ネズミや鹿の苦しみが猫や鳩の苦しみよりも小さいからでも、ネズミや鹿のもたらす損害が猫や鳩のもたらす害悪よりも常に大きいからでもない。こうした能力や利害とは異なる水準で、つまり猫や鳩が人間の生活空間に適応してきた歴史、居住者の生活形態、駆除以外の方法が可能だという状況といった様々な要素が猫や鳩を害獣とみなすことを妨げる。

そういった要素を無視して、猫や鳩と同じように、ネズミや田畑を荒らす鹿を保護することを求めるなら、それはこうした動物の侵入を甘受することを人に強いる非現実的な解答にしかならないだろう。

重要なのは、人間と動物の差異を前提とした日常的な動物観は、動物をたんなる道具や物とみなしているわけではなく、多種多様な動物の特性と人間の生活形態に照らし合わせた動物への配慮を内に含んでいるということだ。

この事実は、肉食も含めた私たちの振舞いや態度がそれ自体でただちに正当化されるということを意味しない。動物の肉を食べる人も食べない人も——シンガーの依拠するような生物学的事実や一般原理とは異なる——動物に対する何がしかの見方を共有しており、そこから出発してのみ「異なる価値観」をもつ人々が対話することが可能になるということだ。

「価値観の違い」を越えて

無論、人間と動物に対する見方は人それぞれ異なるし、時代や地域、文化や宗教、家庭環境や生活形態によっても大きく異なる。にもかかわらず、私たちは生物学的事実や一般原理に訴えることなく、異なる価値観をもつ他人の言動を理解することができる。

このことを示すためにダイアモンドは、イギリスの作家ジョージ・オーウェル（1903－50）がスペイン内戦に義勇兵として参加した際、ズボンをたくし上げながら走る敵を撃つことができなかったという経験に訴えている。

「私がここに来たのは、『ファシスト』を撃つためであった。しかし、ズボンをたくし上げている男は『ファシスト』ではない。それは明らかに私たちと同じ同胞であり、どうしても撃つ気にはなれないのである」（オーウェル「スペイン戦争回顧」[*9]）。ここでは敵（ファシスト）という概念と同胞という概念がある種の緊張関係にある。ズボンを両手でたくし上げながら走る男を撃つことができる者ですら、なぜオーウェルが撃てなかったかを完全に理解することができるだろう。[*10]

オーウェルは、相手の利害や能力に基づき、相手が武器ももたず反撃する能力もないために撃たないという選択をしたわけではない。ズボンをたくし上げながら走る姿を前にして、彼には相手が敵（「ファシスト」）ではなく同胞（同じ「人間」）にしか見えなくなり、撃てなかったのだ。

オーウェルの見方と行動を変えたこの特徴は、シンガーの言う利害や能力のように、それを認めた人すべてを特定の行為に向かわせるような強制力をもたない。実際、ズボンをたくし上げる姿を目撃しても、迷わず敵とみなして銃撃した兵士もいたはずだ。にもかかわらず、こうした兵士でも、オーウェルの弁明を理解しうるのは、「ズボンをたくし上げている男はファシストではなく、同胞である」という彼の主張に同意はしなくても、「彼には、ズボンをたくし上げている男がファシストではなく、同胞であると見えた」という事実を共有しているからだ。こうした共有が可能となったのは、価値観が異なる二人の間で、人間についての見方、敵と同胞との対立（同胞として見たら、敵としては見られない）、ズボンをたくし上げて逃げる姿と同胞という概念とのつながりが何らか共有されていたからに他ならない。

＊9　ジョージ・オーウェル「スペイン戦争回顧」（『象を撃つ』所収）、67頁。
＊10　コーラ・ダイアモンド「肉食と人食」、横大道聡訳（キャス・サンスティンほか編『動物の権利』所収）、143頁。

このような考え方は、「牛には苦しむ能力がある、だから牛を苦しめてはならない」「猿には理性や自己意識がある、だから殺してはならない」というシンガーの議論の方式とは根本的に異なる。そこでは「同意するかしないか」だけが尋ねられ、同意するのであれば、行為者がどういう価値観をもち、どのような生き方をしてきたかとは関係なく、「〜しなければならない」(さもなければ不誠実な人間である)ということになってしまう。

これに対して、ダイアモンドの議論には、「価値観の違い」を乗り越える可能性が示されている。

肉を食べる人は、肉を食べない人の主張に同意できなくても、そうした人に世界がどのように見えているのかを共有しうる。そこで問題となるのは、ある命題(「牛には苦しむ能力がある」)の真偽ではなく、動物に対する様々な振舞いを支えてきた自分の見方が現実に即した見方なのかということだ。こうした問い直しを通じて、自分の見方がより現実に即したものへと変わっていく可能性が生じる。

肉の見方が変わるきっかけを、ベジタリアンである南アフリカの作家ジョン・M・クッツエーは、自伝的作品のなかで次のように描いている。

庭の奥に養鶏場を作って、雌鶏を三羽入れる。自家用に卵を産んでくれるはずだ。だが鶏の成育がはかばかしくない。〔…〕病気がちで不機嫌な鶏たちは卵を産まなくなる。母親がステレンボッシュに住む姉に相談すると、鶏の舌の裏にできた角質部分を削り取ればまた卵を産むようになるという。そこで母親は鶏を一羽ずつ両膝に挟み込み、肉垂れを押しつづけて嘴《くちばし》を開き、小刀の先で舌をつついてみる。鶏は悲鳴をあげてもがき、目を剝き出しにする。彼はぞっとして顔をそむける。母親が台所のカウンターにシチュー用の牛肉をバシッとのせて、賽《さい》の目に切り分けるところが思い浮かぶ。母親の血だらけの指が思い浮かぶ。[*11]

鶏の鳴き叫ぶ姿を目の当たりにして、少年クッツェーが日常的に見ていた母親の調理風景は一変する。食肉生産の実態などの新しい情報を知って見方の変化が生じたわけではない。しかし、台所の肉と母親の指は、彼にはそれまでと全く異なるものに見える。つまり、シチューの材料と赤く汚れた指にしか見えなかったものが、鶏と同じように生きていた動物の肉とその血に染まった指という、あるがままのものに見えてくる。[*12]

肉を食べることが当たり前の家庭に育ち、肉を食べない人の考えに同意できない人でも、こうした見方の変化がありうること、自分たちが日々目にしているのも、少年時代のクッツ

＊11　ジョン・M・クッツェー『サマータイム、青年時代、少年時代』、くぼたのぞみ訳、11頁。
＊12　イアン・ハッキング「逸れ」（コーラ・ダイアモンドほか『〈動物のいのち〉と哲学』所収）、203頁。

ェーが見た調理風景と変わらないこと、にもかかわらず自分たちはいまだ目を開かれる前のクッツェーと同じ見方をしていることを共有しうる。

このような共有から出発して初めて、肉を食べる人は肉を食べない人の声に本当の意味で耳を傾け、価値観の違いを越えて対話することが可能となるはずだ。

3 人間の命と動物の命

人間主義と人間中心主義との違い

ダイアモンドの議論に対して、次のような懸念をもつ人もいるだろう。それは、人間と動物の差異を自明視し、人間の利益のために動物を搾取することを厭《いと》わない人間中心主義的で種差別的な議論ではないか。動物に対する日常的な態度から出発する議論は、結局のところ、肉食や動物実験に慣れ親しんだ支配的な価値観を追認することになってしまうのではないか。

こうした懸念に応答しつつ、動物への配慮を、シンガーの示す能力による序列化とは異なる仕方で考えていきたい。

人間と動物の差異を重要視すること、つまり、ただ人間であるという事実が特別な配慮を要請すると考えることは、「どんなときでも人間の利益を最優先しなければならない」とか、「人間の些細な利益のために他の動物に多大な苦しみを与えたりしてもよい」などという主張を導くわけではない。人間の胎児や乳幼児、さらには重度の障碍者や認知症患者は、たとえチンパンジーと比べて劣った能力しかもたなかったとしても、チンパンジーが通常は受けられない医療的ケアや社会的支援を受けられてしかるべきだ。

このことを認めると同時に、「人間の利益のためにチンパンジーを動物実験に使うべきではない」と主張することは充分に可能だ。すでに見たように、チンパンジーに人間と同じ形での配慮（言語教育）をする必要はないが、チンパンジーにふさわしい仕方で配慮することは必要だし、動物実験で苦しめて死に至らしめることは、そうした配慮からかけ離れたものであるからだ。

「私たち人間にとって、他の人間に配慮することは特別に重要である」とする「人間主義」(humanism)は、「人間が世界のなかで最も重要である」とか、「他の動物や自然環境を犠牲にして人間の利益を追い求めてよい」などという「人間中心主義」(anthropocentrism)を含意しないのだ。[*13]

＊13　バーナード・ウィリアムズ『生き方について哲学は何が言えるか』、196頁。

自分の子どもを特別扱いすることは、それが他人の子どもに多大な不利益を与えたり、他人の子どもを劣った地位に位置づけたりすることがない限りは、「差別」とは言えない。[*14] これと同様に、人間を特別扱いすることは、それが他の動物に多大な不利益を与えたり、動物を人間よりも劣った地位に位置づけたりすることがない限りは、「差別」とは言えない。

むしろ、哲学者の池田喬が指摘するように、[*15] 能力によって命を序列化し、特定の能力をもたない人（乳幼児や障碍者）や動物は、そうした能力をもつ人（健常者）や動物よりも道徳的な配慮に値しないとみなすシンガーの考え方の方が、ナチス・ドイツにおいてなされたような人種差別と親和性がある。というのも、ナチスの人種差別においてはアーリア人が本来備えているべき性質がリスト化され、そうした性質をもたない障碍者等がアーリア人から排除され、道徳的な配慮に値しないとみなされたからだ。

すでに死んでいる動物への配慮

シンガーのように、道徳的な配慮の根拠を動物の能力に求める議論は、利害に対応する能力を失った動物や、もともともたない動物には配慮をしなくてもよいという帰結を導き出す点でも、問題を孕んでいる。[*16]

例えば、盲導犬に落書きをする人を目撃したら、たとえ盲導犬が落書きをされた自分の姿を認知できないとしても、憤りを感じる人が多いはずだ。解剖実験で用いた脳死状態のウサギやマウスをダーツの的にして楽しんでいる医学生を見たら、どう思うだろう。「残酷だ」という非難に対して彼らが「脳死状態で痛みは感じないのだから、苦しんでいるのを見て楽しんでいるわけではない」と言ったとしても、それは動物への配慮を著しく欠いていると思うだろう。

実際、2016年に福岡県で5000匹の魚を氷漬けにしてスケートリンクに埋め込んだテーマパークに非難が殺到したという事例もある。企画者は、魚は卸売市場で死んだ状態で水揚げされたものを仕入れ、生きた魚を凍らせたわけではないと釈明した。どのみち廃棄される魚の死骸を利用することには、何の問題もないと言う人もいるかもしれない。しかし、多くの人はそのような死骸の使い方に嫌悪感を覚えただけでなく、それを不道徳な行為だとみなした。

もしも魚の死骸を使う代わりに、外見的にはそれとまったく変わらない魚の模型を用いていたら、問題にはならなかったはずだ。魚の死骸をスケートリンクに埋め込むことに対する抵抗は、魚がすでに命を失い、利害も能力ももたないにもかかわらず、死んだ魚の上をスケ

＊14　差別の定義をめぐる詳しい議論については、本書第1章第1節を参照。
＊15　池田喬「反種差別主義VS種の合理的配慮」(『倫理学論究』vol. 4, no.2所収)、12頁。
＊16　Alice Crary, *Inside Ethics*, pp. 124-134.

ートで滑走することが魚に対する配慮を著しく欠くという感覚から生じていると考えられる。こうした感覚は、人間の遺体に対する感覚にも通じるものだ。プラスティネーション加工を施した人間の遺体を輪切りにするなどして展示した「人体の不思議展」は、日本でも1995年から2012年まで開催され、数多くの来場者を集めた一方で、非難や拒絶を巻き起こした。[*17]

この展示会は、遺体の入手先が不透明だったことや人体標本の扱いが法律と抵触することなどが問題となったが、もし仮に遺体提供者の明確な同意があり、法律上問題がない仕方で展示がなされたとしても、消し去り難い抵抗感や違和感が残るだろう。それは、学術上の目的をもたずに、命を失った人間の身体を切り刻んで見世物にするということが、どれだけ本人がそうされることを望んでいたとしても、故人の尊厳を毀損しているように映るからだ。

こうした事例が示唆するのは、道徳的な配慮の対象が必ずしも生きている動物に限られないこと、そして、人や動物がもっている能力や性質に道徳的な配慮の根拠が求められているわけではないということだ。

確かに、道徳的な配慮の根拠が快苦を感じる能力や理性的なあり方に求められる場合もあるかもしれない。しかし、私たちは、理性的とは言えない胎児、快苦を感じる能力や記憶を失ってしまった脳死状態の人間もまた道徳的な配慮に値すると考えることが少なくない。健康な人間の場合でも、先に見たオーウェルの事例にも見られるように、理性的なあり方とは程遠いあり方（ズボンをたくし上げる姿）が、相手を道徳的な配慮に値する人間として提示することもある。

オーウェルがイギリスの統治下にあったビルマで目撃した別の例も、この点で注目に値する。

絞首台まではあと40ヤードほどだった。私は自分の目の前を進んでゆく囚人の背中の褐色の素肌を見つめた。両腕を縛られて歩きにくそうだが、足どりは確かで、インド人特有の膝を伸ばしきらないひょこひょこした歩き方だった。〔…〕一度、衛兵たちに両肩をつかまれているのに、途中の水たまりを避けようとして、ちょっと脇にのいた。

奇妙なことだが、その瞬間まで私は、一人の健康な、意識のある人間を殺すということがどういうことなのか、まったく分かっていなかった。ところが、囚人が水たまりを避けようとして脇にのいたのを見たとき、盛りにある生命を突然断ち切ってしまうことの不可解さを、その何とも言えぬ不正を悟った。この男は死にかけているわけではない。われわれが生きているのとまったく同じように生きている。この男の体の器官は全部働いている——腸は食物を消化し、皮膚は再生し、爪は伸び、組織は形成を続けている。〔…〕目は

＊17　詳細については、末永恵子『死体は見世物か』参照。人体の不思議展については、國學院大学哲学科の学生の卒論に多くを教えられた。

黄色の砂利と灰色の塀を見て、脳は依然として記憶し、予見し、推論している——水たまりのことでさえ推論したのだから。彼もわれわれも一緒に歩いている人間の一行で、同じ世界を見、聞き、感じ、理解している。それがあと二分もすれば、突然ガタンといって、われわれのうちの一人が消えてしまう——精神がひとつ欠け、世界がひとつ欠けてしまう。[*18]

この例では、脇にのかないと水たまりに入って足が汚れてしまうという理性的な推論能力に、道徳的な配慮の根拠が求められているわけではない。これから死刑に処されようとしている囚人が、両肩をつかまれて連行されるなかでなお、足が汚れないように脇にのいた——この些細な動作が、彼が一人の「人間」として「生きている」ということにまつわる様々な事実を突きつけてくる。そうした事実の総体が、オーウェルに死刑の不正さを感じさせる。

それは、ただ「生きている」という人間の動物的な命のあり方であるが、人間にとって何が重要であり、人間にふさわしい仕方で扱われることがいかなることかを教えるものでもある。こうした観点から、人間以外の動物の命について、どのように考えることができるだろうか。

ペットの命から考える

手がかりを与えてくれるのは、人間にとって身近なペットについて蓄積されてきた語りであろう。当然ながら、飼い主によってペットに対する見方も様々だ。しかし、多くの飼い主にとって、ペットはたんに可愛くて癒しを与えてくれる存在だったり、人間の感情や振舞いに敏感に反応して、自分の欲求や意志を示す存在だったりするだけではない。こうした要素はいわゆる癒しロボットでも備えている。ペットと癒しロボットを分かつのは、ペットが一回限りの限られた命しかもたないということだ。

ペットの命は、一回限りで、大抵の場合、飼い主よりも短く、複製することができない。ペットの身体と命はいつでも傷つけられる可能性があり、時と共に衰えていき、やがていなくなってしまうものとして経験されている。ペットの声や姿はいくらでも記録できるが、ペットそれ自身とはいつか会えなくなる、つまりその存在と触れ合えなくなり、今という時間を共有することができなくなる。

こうした動物の命は、人間の命と等しい仕方で見られているわけではない。だからといって、人間の命が動物の命よりもつねに優位にあるわけでもない。

＊18　ジョージ・オーウェル「絞首刑」、川端康雄訳（『象を撃つ』所収）、13頁。

「でも、人間の命と動物の命のどちらかを選択しなければならない状況では、誰でも人間の命を優先するはずだ」と言いたくなる人もいるかもしれない。実際、「動物の権利」を擁護する人のなかにも、重量オーバーで沈みかけている救命ボートに、何人かの人間と一匹の犬が乗っているとしたら、犬を犠牲にすることが道徳的に正しいと主張する人もいる。[*19] その理由は、人間は自己意識をもち、時間を通じての確固とした心理的同一性をもつため、自己意識や心理的同一性の水準が低い犬よりも、死ぬことによる害が大きいからだとされる。

しかし、能力の優劣を基準とする以上の議論が正しいのだとすると、救命ボートから犬を放り出した後に、まだ沈みそうなら、その次には新生児、一歳児、二歳児といった形で能力が未発達な順番でボートから放り出していくのが正しいということになってしまう。こうした順位づけがおかしいなら、自己意識や心理的同一性の水準が低い動物の方が、死による害が少なく、命の優先度が低いという見方もおかしいことになる。[*20]

ペットを愛する人なら、もしも救命ボートで自分のペットが犠牲にされそうになったら、自分が海に飛び込むと言うだろう。[*21] これは自分の子どものためなら自分が犠牲になると言う親と同様、不自然でも極端なことでもない。

このような発言をする人は、「人間の命よりも犬の命の方が大事だ」と言っているわけではなく、「自分のペットの命には、自分の命を犠牲にしても惜しくない価値がある」ことを示そうとしている。つまり、その命は、人間の命と同様に唯一的なものであり、同種のペットを新たに買ったり、ペットのクローンを作ったりしても取り替えのきかない命であるということだ。

こうした命をもつ動物やその亡骸《なきがら》を、その動物にとって何が重要であるかを無視した形で、その動物にふさわしくない仕方で扱うことは、道徳的な配慮を欠く行為とみなされうる。

重度の認知症患者を犬のように扱うことは、その人の人間らしい生き方（服を着て椅子に座って食事をとる）やその人固有の生き方（その人が重要視していたライフスタイル）に反する仕方で扱うことを意味する。これと同様に、盲導犬に落書きをすることは、視覚障碍者を介助する彼らを愚弄することを意味する。脳死状態のウサギやマウスをダーツの的にすることは、命ある動物をたんなる物として扱うことだ。魚の死骸をスケートリンクに埋め込んでその上を滑走することは、海や川で自由に泳ぐ魚たち本来のあり方とは逆の仕方で彼らを扱い、人間たちの好奇心や快感のためだけに彼らを用いることだ。

このように、人間も含む動物やその亡骸に対する態度や扱いが配慮を欠くと感じるとき、私たちは一回限りの命をもつその動物にとって何が重要（だった）かという視点から見ている。

＊19 David DeGrazia, The Harm of Death, Time-Relative Interests, and Abortion, in: *Philosophical Forum* 38(1), p. 57.
＊20 Christine Overall, Throw Out the Dog? in: C. Overall (ed.), *Pets and People*, pp. 253-257.
＊21 Ibid., p. 256. 救命ボートの例を話したとき、私の妻も迷うことなく同じように答えた。

そうした視点から見ることで、「どんな動物の命にも等しい価値がある」と主張しているわけではない。むしろ、人間の遺体を食べたり粗雑に扱ったりしないことで人間という概念を構築しているのと同様に、動物やその亡骸をその生き方に反した仕方で扱ったり、もともと命をもたない物のように扱ったりしないことで動物という概念を構築しているのだと言えよう。

こうした見方は必ずしも、肉食や動物実験に慣れ親しんだ現状を追認することには帰着しない。むしろそれは、動物の生き方への注視を必要とする以上、私たちの一方的な動物観の是正を促すはずだ。

多種多様な動物にとって、そして自分が係わる個々の動物にとって、何が重要であるかを見極めるためには、彼らに日々接するなかで、その行動の特徴や習慣、些細な変化に敏感であり続けなければならない。それゆえ、動物と暮らしたり動物と日々接したりすることは、人間に都合のよい偏った見方を絶えず是正していくことを必要とするのだ。

なるほど、私たちはすべての動物に対して常にこうした態度をとっているわけでも、とれるわけでもない。

私たちは魚をスケートリンクに埋め込むことを非難する一方で、食用に獲った魚を大量に廃棄している。犬や猫を大事にする一方で、牛や豚や鶏を苦しめたり、殺して食べたりしている。さらには、自分のペットに愛情を注ぐ一方で、飼育放棄されたり、ペットショップで売れ残ったりした犬猫が殺処分されるのを見て見ぬふりをしている。そのため、ペットの命を唯一的なものとみなすことは、動物を人間のように扱う——名前で呼び、愛情を注ぎ、弔う——特殊な例だとみなす人もいるだろう。

しかし、ペットに対する私たちの態度や見方は、同種の動物や別種の動物に同じように配慮する可能性を垣間見させてくれる。犬や猫を大事にする人は、犬猫の殺処分に心を痛め、飼育放棄やペットショップでの生体販売に疑問を抱くはずだ。また、犬と暮らす人は、犬を食べる習慣や犬の肉のレシピを見たらぞっとして激しい嫌悪感を覚えるだろう。

これと同種の感情を、牛豚鶏の肉を食べる食習慣やレシピに覚える人がいることを想像するのは難しくない。このようにして、ペットに対する態度や見方から出発して、それを他の動物へと拡げていき、習慣的に行ってきた肉食や動物の扱いに疑問をもつことは可能だ。

そもそもペットを飼うことが許されるか否かについては、動物の権利を擁護する人たちのなかでも意見が分かれるが、[*22] こうした点で、ペットと暮らすという経験について考えることは、重要な意味をもつと思われる。

＊22 原則として、人がペットを所有することは許されないと考える人もいれば（ゲイリー・フランシオン『動物の権利入門』、275頁）、飼育を監禁とは区別して、条件つきで認める人もいる（デヴィッド・ドゥグラツィア『動物の権利』、120－128頁）。

肉を食べるとは、いかなることか？

以上の観点から、肉食についてどのように考えることができるだろうか。

先に見たように、人間に配慮することが特別に重要であるとみなす人間主義は、人間の些細な利益のために他の動物に多大な苦しみを与えたり殺したりしてもよいとする人間中心主義を含意せず、他の動物をその動物にふさわしい仕方で道徳的に配慮することと両立しうる。しかし果たして、動物を殺してその肉を食べることと動物に道徳的な配慮をすることは、両立可能なのだろうか。

肉食が健康な人生に必要不可欠であるなら、人間の生存に関する利益が、動物の生存に関する利益をくじくことは正当化されうる。[*23] これに対して、健康な人生に必要な栄養以上のもの――美味しさや自分の肉体美――を求めて動物の肉を食べることは、人間の些細な利益のために動物に多大な苦しみを与えているように映る。

だとすれば、近代的な生活を送るほとんどの人にとって、動物を殺してその肉を食べることと動物に道徳的な配慮をすることは、明らかに矛盾しているように見えるだろう。しかし、両者が本当に両立不可能かどうかについては、まだ熟慮に値する意見の相違があるように思われる。

動物への道徳的な配慮が、能力や命を失った動物の肉体への態度や振舞いと切り離せないという点は重要である。このように考えると、動物への道徳的な配慮は、肉食をやめることだけには限られないことになるからだ。

実際、畜産、解体、精肉に携わってきた人々の多くは、日々動物と接し、動物への道徳的な配慮について工夫や思考を重ねてきたと思われる。大阪の精肉店を描いたドキュメンタリー映画『ある精肉店のはなし』（纐纈《はなぶさ》あや監督、２０１３年）では、愛情をかけて牛を育て、牛を素早く洗練された手際で解体する――牛を「殺す」のではなく「割る」と表現される――姿が描かれる。こうした姿に視聴者は、動物の命への敬意を感じ、動物を育てて食べるという振舞いにも、動物への配慮ある仕方と配慮を欠く仕方があることを知る。[*24]

こうした観点から見ると、動物がその種に固有な生き方ができるようにする、例えば、豚が豚に固有な生き方ができるように養豚場の環境を整えることもまた、豚に対する道徳的な配慮の一つだとみなされうる。[*25]

＊23　人間の生存に関する利益が動物の生存に関する利益をくじくことを正当化するという主張は、動物への道徳的な配慮の必要性を訴える動物解放論者にも共有されうる（久保田さゆり「動物倫理と広く共有された道徳的信念」（『千葉大学人文社会科学研究』第28号所収）、１６６－１６９頁）。

＊24　動物実験に用いた動物のために供養をするという行為も、こうした連関のなかで考えることができる。伊勢田哲治「動物福祉と供養の倫理」（『関西実験動物研究会会報』所収）参照。

＊25　牛・豚・鶏に固有な生き方とその飼育環境の改善については、佐藤衆介「生きているウシ・ブタ・ニワトリについて思いを馳せてみませんか」（打越綾子編『人と動物の関係を考える』所収）参照。

注意しなければならないのは、スーパーでパックに入った肉を買って食べる――私自身も含め――大多数の人たちは、こうした人々に動物を殺すことを肩代わりしてもらって、肉食を続けているということだ。にもかかわらず、私たちは普段「肉を食べること」を、動物を殺すことや自分の代わりに他人に動物を殺してもらうことと切り離して考えがちだ。[*26]

そのとき、私たちは「肉を食べること」が「動物を殺して（もらって）その肉を食べること」であること、そして「安価な肉を食べること」が大抵の場合は「過酷な環境で育てられた動物の肉を食べること」であることから目を逸らしてしまっている。こうした現実から目を逸らす人が、「動物の命に敬意をもって食べる」と出し抜けに言ったところで、空しく聞こえるはずだ。

その一方で、シンガーのような人もまた、「肉を食べること」がたんに「動物を殺して食べること」にはとどまらない意味をもつことを逸している。肉を食べることは、人間と動物の間に見て取られる差異のみならず、それぞれの地域における宗教や食文化、所得水準、家庭の食習慣を背景として成り立っている。そのため、肉を食べることの内に、食文化や食習慣の継承、日々の辛い労働に対するご褒美、（ときに魚や野菜よりも）安価な栄養源といった意味を見出す人もいる。

これらは肉食を続けるためのたんなる口実として持ち出されることも少なくないが、人々が肉を食べることにこだわったり、慣れ親しんだ食習慣を変えられなかったりする理由を考える際に、考慮に入れられるべき事柄であろう。

いずれにしても、肉を食べることが私たちにとって何を意味しているのか、それがもたらす自然環境への影響も含めて人間の生活にとっていかなる意味をもつのかを、もう一度考え直す必要がある。そうすることで、各人がそれぞれの経済状況や家庭環境に即して、動物へのよりよい配慮のあり方を考えることが可能となるだろう。

私自身は、シンガーの肉食批判やダイアモンドの議論を受けてもまだ肉食をやめることができていない。大学で工場畜産の悲惨さについて講じるたびに、それでも肉食をやめようとしない自分に後ろめたさを覚えてきた。本章は、こうした後ろめたさから発して書かれた。ダイアモンドの議論を通じて示そうとしたのは、私たち人間の混乱し矛盾した動物の扱いに気づき、それがいかなる態度を含んでいるかを考察することから始める必要があるということだ。そのようにして、肉を食べている人も、肉を食べない人の声に耳を傾け、自分の混乱し矛盾した動物への態度を解きほぐして、その内側から動物への道徳的な配慮のあり方を考えることが可能となると思われる。

＊26　こうした切り離しは、食べられる動物の安易な擬人化と屠場で働く人々への差別を伴いやすい（「纐纈あや監督インタビュー」、『フィルカル』Vol.4, No.2所収、177頁）。

日々、肉を食べることとで育ち、肉を食べることに様々な価値をみいだしてきた人々にとって、いきなり肉を食べないようにすることは困難に感じられるだろう。私もまた、すぐに肉食をやめられる自信はない。だからといって「食べられる生き物に感謝して食べよう」などと言って、問題から目を逸らすこともまた無責任に感じる。むしろ、動物への配慮は、たんに肉を食べるか食べないかという二者択一に限られるものではないと言いたい。

様々な事情（家庭の食生活や経済的事情）で肉を食べることをすぐにやめることができない人たちも、どのような環境で育てられた肉を、どのような頻度で食べるかということを見直すという形で、動物に配慮することは可能だ。

この提案は、シンガーのような立場に立つ人にとっては、極めて中途半端なものに映るだろう。それでも、シンガーの考えに対する違和感から目を背けて、自分の考えをシンガーの考えと取り替えて問題「解決」をはかるよりも、自分の混乱し矛盾した態度に向き合い、そうした態度を解きほぐしていくなかで動物への配慮を考えていく方が望ましいと私は考える。

参照資料

〔邦語文献〕

アンダーソン、エリザベス「動物の権利と人間以外の生命の価値」、葛西まゆこ訳、キャス・R・サンスティン、マーサ・C・ヌスバウム編『動物の権利』、尚学社、2013年所収
池田喬「反種差別主義 VS 種の合理的配慮――動物倫理への現象学的アプローチの試み」、『倫理学論究』vol. 4, no.2、2017年所収
伊勢田哲治「動物福祉と供養の倫理」、『関西実験動物研究会会報』、2016年所収
ウィリアムズ、バーナード『生き方について哲学は何が言えるか』、森際康友・下川潔訳、産業図書、1993年
オーウェル、ジョージ「絞首刑」、川端康雄訳、『象を撃つ』（オーウェル評論集1）、川端康雄編、平凡社、2009年所収
オーウェル、ジョージ「スペイン戦争回顧」、小野協一訳、『象を撃つ』（オーウェル評論集1）、川端康雄編、平凡社、2009年所収
クッツェー、ジョン・M『サマータイム、青年時代、少年時代――辺境からの三つの〈自伝〉』、くぼたのぞみ訳、インスクリプト、2014年
久保田さゆり「動物倫理と広く共有された道徳的信念――ザミールの種差別主義的解放論をめぐる考察」、『千葉大学人文社会科学研究』第28号所収、2014年
佐藤衆介「生きているウシ・ブタ・ニワトリについて思いを馳せてみませんか」、打越綾子編『人と動物の関係を考える――仕切られた動物観を超えて』、ナカニシヤ出版、2018年所収
サンドラー、ロナルド・L『食物倫理入門――食べることの倫理学』、馬渕浩二訳、ナカニシヤ出版、2019年
シンガー、ピーター『実践の倫理』、山内友三郎・塚崎智監訳、昭和堂、1999年
末永恵子『死体は見世物か――「人体の不思議展」をめぐって』、大月書店、2012年
ダイアモンド、コーラ「肉食と人食」、横大道聡訳、キャス・R・サンスティン、マーサ・C・ヌスバウム編『動物の権利』、尚学社、2013年所収

ドゥグラツィア、デヴィッド『動物の権利』、戸田清訳、岩波書店、2003年

纐纈あや「纐纈あや監督インタビュー――人が生きることを撮る」、『フィルカル』Vol. 4, No. 2、2019年所収

ハッキング、イアン「逸れ」、コーラ・ダイアモンドほか『〈動物のいのち〉と哲学』、中川雄一訳、春秋社、2010年所収

フランシオン、ゲイリー・L『動物の権利入門』、井上太一訳、緑風出版、2018年

吉川孝「食べること、人間であること、生き残ること――『ソイレント・グリーン』をてがかりに」、吉川孝・横地徳広・池田喬編著『映画で考える生命環境倫理学』、勁草書房、2019年所収

〔外国語文献〕

Crary, Alice, *Inside Ethics: On the Demands of Moral Thought*, Cambridge / London: Harvard University Press, 2016.

DeGrazia, David, The Harm of Death, Time-Relative Interests, and Abortion, in: *Philosophical Forum* 38(1), 2007.

Overall, Christine, Throw Out the Dog? Death, Longevity, and Companion Animals, in: Christine Overall (ed.), *Pets and People: The Ethics of Our Relationships with Companion Animals*, New York: Oxford University Press, 2017.

〔映像〕

『ある精肉店のはなし』、纐纈あや監督、2013年

おわりに

一人ひとりが考えることに意味がある——このことを教えてくれたのは、学生たちだった。本書のもととなった講義には、哲学や倫理学にまったく関心をもったことがなく、必修授業の隙間を埋めるために受講した学生も少なからずいた。現実にある諸問題に対して、自分の考えや経験なんかは役に立たないのではと言う学生もいた。

最初は自分の本音をオブラートに包んでいた学生たちが、徐々に自分のモヤモヤや辛い経験をリアクションペーパーに書いてきてくれるようになる。そうしたコメントを授業内で紹介すると様々な反応が起き、そこからまた、一人ひとりが新たに自分の考えを紡いでいってくれる。

私にとって、大学で哲学を教えることの一番の醍醐味は、そうした過程に立ち会えることだ。それは、哲学の歴史や思考法を一方通行に教えることではなく、むしろ様々な点で特権的な立場にある自分が知りえなかった経験や現実の観方を学生たちから教えてもらうことである。

アルバイト先での性差別や親からの虐待に似た仕打ちなど、長く抱えてきた悩みや苦しみを涙ながらに打ち明けてくれた学生もいた。そうした学生たちから、講義で学んだことを通じて、自分が抱えていた悩みや問題に向き合い、それまでとは異なる仕方で考えたり、受け止められたりするようになったと言ってもらえたとき、「一人ひとりが考えることに意味がある」ということを私自身、心の底から信じられるようになった。

だから誰よりも、本書のもととなった講義を受講してくれた学生たちに本書を捧げたい。とりわけ國學院大学の学生たち、また非常勤先の学習院大学、上智大学、東京大学、早稲田大学の学生たちとの対話なくして、本書が書かれることはなかった。

トランスビューの高田秀樹さんは、SNS全盛の時代にあって、私の講義のシラバスに興味をもって、「現実を解きほぐすための哲学」というテーマで一般向けの本を書いてみないかと声をかけて下さった。書き始めた当初は一般向けとは程遠かった私の論文調の文体を根気強く直してくださり、哲学に馴染みがない人でも読みやすいものにして下さった。高田さんとの毎月の対話を通じて本書を書けたことを心から嬉しく思う。

本書の方法論は、吉川孝さんと池田喬さんとの長年にわたる対話やワークショップに多くを負っている。現象学者として心から尊敬するお二人に導かれて、現象学的倫理学の可能性を探求してこられたことは僥倖と言うほかない。お二人と現象学的倫理学の本を出すことが、次の目標である。

本書のそれぞれの主題についても様々な人たちに多くを負っている。

佐藤静さん、中澤瞳さん、宮原優さん、稲原美苗さんは、私をフェミニズムおよびフェミニスト現象学へと導いて下さった。彼女たちとの出会いがなければ、自分自身の経験の分析に踏み出すことはできなかった。中澤さんらによって書かれた『フェミニスト現象学入門』が出版される予定なので、本書第1章と併せてお読み頂きたい。

人種の現象学の世界的研究者である、アリア・アル＝サジさん、ヘレン・ンゴさんは、2018年の世界哲学大会で人種をめぐるワークショップを共に企画し、その分野では駆け出しにすぎない私の研究を評価し、後押ししてくれた。彼女たちの著書や論文を日本語に翻訳できたらと強く思う。

心理学者、人類学者、哲学者が中心となった新学術科研「トランスカルチャー状況下における顔身体学の構築」でご一緒させて頂いている方々、とりわけ山口真美先生、河野哲也先生、床呂郁哉先生からは、異なる学問分野の研究者と議論を交わす貴重な機会を賜り、性差や人種をめぐる自身の研究を多角的な視点から見る必要性に気づかされた。

親子関係をめぐっては、科研「北欧現象学者との共同研究に基づく人間の傷つきやすさと有限性の現象学的研究」および「子育ての現象学——フィンランド・ネウボラをフィールドに」でご一緒させて頂いた方々、とりわけ浜渦辰二先生、中真生さん、筒井晴香さん、イリーナ・ポルシュチュックさんから多くのご支援と示唆を賜った。

講義で難民を取り上げるまで、日本国内の難民問題について無知だった私に一から教えて下さったのは、認定ＮＰＯ法人難民支援協会の伏見和子さんと元職員の田村美由紀さんである。彼女たちからは、難民問題に関する知識や情報だけでなく、問題に向き合う姿勢についても多くを学ばせて頂いた。国内外で難民支援に携わっておられる方々に改めて敬意を表したい。

哲学や倫理学、ジェンダー論や男性学、人種・親子・難民・動物倫理に関する先行研究からも数えきれないほど多くのことを学ばせて頂いた。本書のなかで充分言及ができているかは心もとないが、著作や論文を通じていつも多くを学ばせて頂いている方々、とりわけ植村玄輝さん、奥田太郎さん、佐藤岳詩さん、有馬斉さん、早川正祐さん、古田徹也さん、堀田義太郎さん、堀江有里さん、平山亮さん、山本千晶さん、酒井麻依子さん、川崎唯史さん、下地ローレンス吉孝さん、中村佑子さん、入谷秀一さん、小西真理子さん、久保田さゆりさん、そしてフェミニズムに関する本を訳されてこられた方々にも感謝申し上げたい。

本書の論述には、それぞれのトピックを専門的に研究してこられた方々から見たら至らない点が多々あるだろう。各主題について、今後の研究者人生をかけて掘り下げていきたいと思っているので、忌憚のないご批判をお寄せ頂けたらと思う。

佐藤靜さん、堀田義太郎さん、下地ローレンス吉孝さん、古田徹也さん、吉川孝さんは、本書のもととなった原稿や草稿に貴重なコメントを寄せて下さった。もともと私にベル・フックスやロクサーヌ・ゲイを読むように勧めてくれた佐藤靜さんは、ほぼ全章に目を通して、厳しいコメントと的確なアドバイスを下さった。心から感謝申し上げたい。

校正段階では、赤阪辰太郎さん、石井雅己さん、高井寛さんに多大なご助力を賜った。本書の文章が少しでも読みやすいものになっているとしたら、彼らのおかげである。

本書は、2019年度の國學院大学国内派遣研究の成果であるとともに、一連の科研費（19K12931、17H06346、16H03346、19KK0003）の交付を受けた研究の成果でもある。派遣研究を後押しして下さった関係各位の方々、國學院大学哲学科の先生方および文学部資料室の職員の方々に感謝したい。

区立の小中学校からの友人たち、とりわけ広輝、嘉雄、みーちゃんには、辛い時期に変わらぬ笑顔で迎えてくれ、何度も救われた。そのかけがえのない友人であった広輝が、本書の執筆中に急逝したことからまだ立ち直れていない。独りで二人の幼子を育てていた彼からもらったメールには、「メチャクチャ大変だけど、子供と一緒にいれて幸せだよ」と書かれていた。本書の親子の章を彼が読んだら、どんな感想が返ってくるだろうか。

最後に、子どもが生まれて激動の一年となった日々を支えてくれた両親兄妹、義姉、親戚一同に感謝の気持ちを述べておきたい。育児の大変さと喜びを、身をもって教えてくれた智畝とプッチー（シーズー12歳）にも。そして誰より、私の思考と実践の一番の批判者であり理解者である妻のあやに、本書執筆のために育児からの逃亡時間を与えてくれたことを感謝したい。逃亡場所となった横浜国立大学附属図書館、セブンイレブン横浜高島台店にも感謝している。

現実《げんじつ》を解《と》きほぐすための哲学《てつがく》

二〇二〇年三月二五日　初版第一刷発行

著　者　小手川《こてがわ》　正二郎《しょうじろう》

発行者　工藤秀之

発行所　株式会社トランスビュー
〒一〇三‐〇〇一三
東京都中央区日本橋人形町二‐三〇‐六
電話　〇三‐三六六四‐七三三四
URL　http://www.transview.co.jp/

装　丁　北田雄一郎

印刷・製本　モリモト印刷

ISBN 978-4-7987-0176-9　C0010